KB103831

너의 이야기는
우리의 노래가 되고

글. 함양, 함양을 말하다

차례

책을 펴내며

몇 사람이 모여 자신의 이야기를 글로 쓰고 싶다고 하였다. 그러나 하고 싶은 말을 문자로 옮기려고 하면 그 말들이 다 달아나 버리고 없으니, 좋은 방법이 없겠느냐고 물었다.

방법은 우선 모여서 이야기를 나누는 일이라고 알려 주었다.

글쓰기를 원하는 데 말하기를 권하다니. 처음엔 어리둥절하던 사람들이었지만 곧 이해하였다. 대화하는 중에 사물과 세상을 받아들이는 서로의 입장과 태도가 다름을 알아 나갔다. 그리고 그 차이의 의미가 무엇일까를 곰곰 생각하였다. 한편으로는 차이와 함께 공유할 수 있는 처지와 태도도 발견하였다.

그러다가 자연스럽게 차이와 공유의 접점에 놓이는 생각을 글로 표현하려는 욕구가 생겼다. 자기 경험에서 개별성과 보편성을 동시에 지닌 글의 소재를 찾아내는 일이 중요하다는 것을 깨달은 것이다. 개인의 푸념은 버리고 서로가 함께 공감할 수 있는 생각과 느낌을 언어로 다듬는 일이 글쓰기임을.

좋은 해답이었지만 막상 글쓰기를 실천하는 일은 어려웠다. 그래서 강제성을 부여하기 위해 모임을 만들었다. 모임의 이름은 여러 번 변해서 결국은 "함양, 함양을 말하다"로 정해졌다.

이유는 두 가지였다. 첫 번째는 내가 사는 '여기'를 말하는 일이 쉬워 보였고 두 번째는 내가 아침저녁으로 만나는 자연과 사람들을 좀 더 잘 이해하기 위함이었다.

이런 과정을 거쳐 [너의 이야기는 우리의 노래가 되고]가 만들어졌다.

그래서 책에는 회원들이 함양에서 마주한 사람과 풍경 그리고 그 속에서 변모한 자신들의 모습을 드러내는 글이 중심을 차지한다. 덧붙여 '그'라는 객관적 인물의 시선으로 '나'라는 극히 주관적인 인물을 말하는 '내가 쓴 그의 자화상'이라는 다소 실험적인 글도 있다. 또 함양에 사는 우리들이 어떤 방식으로 함양의 지리적 여건 인문적 환경을 활용하여 하루하루를 아름답게 가꾸어 나가는가를 보여주는 '사금 산책 일지'도 있다. 그리고 그림은 일상 그리기 모임을 지도하는 박중기 선생님과 회원들의 작품이다. 고마운 사람들이다.

작업에 함께한 '모두' 행복하기를 바란다.

-폭설 내린 뮛골 산방에서, 편집자

김 성 순

두메산골이 고향이었지만 중학교 때부터는
도시에서 살았다.
도시의 삶에는 고단함이 늘 따라다녔다.
편안한 기억이 별로 없다.
그게 도시 탓은 아닐 텐데 탓을 하게 된다.
어쨌든 여기 함양에서
나는 즐겁다.

인생 2막

두메산골은 내 고향이다. 면 소재지에 있는 학교까지는 칠리 흙길이었지만 하루 두 번 다니는 버스는 무거운 짐을 든 어른들이 타는 것이지 두 다리 가벼운 우리가 타는 차는 아니었다.

동창회에서 만난 초등학교 동창들과 어린 시절 얘기를 하다 보니 면 소재지에 있는 친구들과 문화 차이가 십 년은 나는 것 같다. 가난한 우리 동네 아이들은 교과서 외에 누구도 만화책이나 동화책을 가지고 있지 않았다. 한 번은 다른 마을에 사는 친구 집에 놀러 갔다가 동화책을 읽었는데 놀라운 이야기가 펼쳐졌다. 아버지는 속옷을 팔아서라도 공부를 시켜주겠다고 늘 말씀하셨지만, 아버지의 공부에는 동화와 만화는 포함되지 않았다. 대학에 들어가서야 그런 책들을 만났다.

가끔 도시적인 문물(?)이라는 것들을 접했지만 시골의 자연으로 충분했다. 초등학교 때의 합창부, 수학여행, 중학교 영어 선생님에게 처음 배운 팝송, 얼마간 다닌 진주 병원, 주말에 보는 <들장미 소녀 캔디>와 <은하철도 999>가 전부다. 그마저도 TV를 보느라 일하러 안 나온다고 아버지는 두꺼비 집을 내려버렸다. 중학교 때 처음 돈가스를 먹었다. 이국적인 돈가스를 사주면서 흐뭇한 표정을 짓던 아버지가 떠오른다.

시골에서 제일 싫어한 일은 모내기였다. 줄을 대고 일렬로 서서 모를 심는 일은 서로 속도를 맞추어야 한다. 내가 느리게 심으면 다른 사람들이 그만큼 더 많이 해야 하고 그게 바로바로 보여서 아무리 힘들어도 꾀를 부릴 수가 없었다. 거머리에게 물리는 끔찍함은 허리가 끊어질 듯한 고통에 비하면 아무것도 아니었다.

부모님과 농사를 할 때를 제외하고는 산과 강, 골목길에서 아이들과 노느라 어둠이 어둑어둑 내려서야 집에 들어갔다. 매일매일 원 없이 놀아도, 놀이는 끝이 없었고 내일이 기다려졌다. 반짝이는 아침이면 나는 눈이 부신 햇살보다 더 반짝거렸다.

초봄에 해가 잘 들고 바람이 없는 들 모퉁이에 누워 하염없이 태양을 쪼이면 내 안에서도 태양이 자라나는 것 같았다. 강가나 산기슭에 막 돋아난 보송보송하고 부드러운 버들강아지를 따 먹었다. 마당의 첫 새싹이 반가워서 빨리 자라라고 조그마한 비닐을 덮어주고 생각날 때마다 얼마나 컸나 들여다보면 다른 애들보다 쑥쑥 자라나는 모습이 너무 신났다. 마치 내가 마법을 부린 것 같았다.

날이 무더워지면 약속하지 않아도 강에 모여든다. 공 대신 양파 잡기 놀이를 하고 나면 커다란 바위에 귀를 갖다 대고 귀에 들어간 물이 빠져나오기를 기다리며 노래를 부른다.

"바위 밑에 귀신아, 해 넘어간다. 나와라. 기차 뿡~." 마을 느티나무 아래 어른들은 낮잠 자고 우리는 공기놀이한다. 큰비가 오고 나면 집 앞에 작은 내가 생겼고 곧장 우리들의 물 축제가 시작된다. 방학이면 한가하게 마루나 평상에 누워 하늘의 구름을 바라보다가 가물가물 잠들기 시작하면 파리가 귓가에 윙윙거린다. 그 소리는 시간이 더없이 평화롭게 흐른다는 것을 알으켜 주었고 나의 기분 또한 말할 수 없이 평온했다.

가을이 와서 잠자리가 낮게 날기 시작하며 선선한 바람이 불면 벼를 벤다. 낫으로 베어낸 벼를 말리기 위해 벼를 서로 묶어 마주 보게 하여 굽이굽이 세워둔다. 우리는 그 논에서 숨바꼭질을 하였다. 가을걷이가 끝난 빈 논과 들은 아이들의 놀이터가 된다. 어마어마하게 큰 운동장이 생긴 것이다. 오징어 게임을 하고 땅따먹기하며 종횡무진으로 쏘다녀도 지치지 않았다.

눈이 오는 날에는 피리를 들고 나가 눈을 맞으며 아무도 없는 거리에서 피리를 불었다. 그럴 때면 신비로운 기분에 휩싸인다. 무슨 일인지 같이 놀 친구가 없는 날에는 강가에서 특이한 모양의 돌을 줍는다. 돌마다 성격이 있다. 이 돌이 떠나왔을 먼 옛날을 상상하면 나도 아주 오래 살아온 것 같다.

방학이면 서울에 사는 아이가 우리 마을의 할머니 댁에 오곤 하였다. 흰 피부와 고운 말투와 고급스러운 물건들에 동네 아이들이 그 아이에게 유난히 친절했다. 그 모양이 부러워서 엄마에게 우리도 도시로 이사 가면 안 되냐고 심통을 부리곤 했다. 도시라는 것에 대해 아무것도 모르던 내가 대학에 들어간

언니 오빠 따라 중학교 때 도시로 전학 가게 되었을 때 아무 거부감도 없었던 것은 어쩌면 그 아이에 대한 막연한 동경 때문이었으리라.

　도시는 낯설고 메마르게 다가왔다. 전학 간 첫날 점심시간에 같은 반 친구는 이렇게 말했다. " 우리 반 애들은 너 싫어해. 너 공부 잘한다며". 고향에선 친구가 공부 잘한다고 자기 등수가 밀리는 걸 걱정하는 말을 들어본 적이 없다. 그곳에서 공부는 하나의 놀이였다.

　모든 놀이를 한꺼번에 잃어버린 나는 할 것이라고는 공부밖에 없었다. 암기할 때의 운율이 마음에 들었다. 운동장을 걸으면서 암기하면 운율은 더 활기차졌다. 입안에 가득 침이 고이곤 했다.

　고등학교 2학년 2학기부터 참혹한 암흑기가 시작되었다.

　교과서를 통해 배운 세계사와 역사는 어마어마한 방황으로 나를 밀어 넣었다. 전쟁과 불평등의 역사 앞에서 무심하고 한심하게 교실에서 공부나 하는 나의 존재를 용납할 수 없었다. 그때부터 길을 잃어버렸다.

　갈기갈기 나를 찢어 놓는 방황은 대학 시절 내내 이어진다. 순수한 친구들과 선배들이 있어 겨우 버텨 나갔다. 지금 생각하면 마음을 가라앉히고 작은 것이라도 할 수 있는 것을 하면 좋았으련만, 당시는 살아있는 것 자체가 무거운 짐이었고 죄책감에 포박되어 무엇에 제대로 집중하기가 어려웠다. 그렇게 찬란한 이십 대는 짙은 어두움으로 가라앉았다.

대학을 졸업하고 연극 극단에 들어갔다. 극단은 가난해도 너무 가난했지만 스스로 가난하다고 느끼지는 않았다. 현실 감각 없는 막내가 계속 이러고 살까, 봐 언니는 아빠를 설득해서 나의 용돈을 줄였다. 십만 원으로 한 달을 살아야 했다. 자취방 월세 오만 원을 내고 나면 오만 원이 남는다. 한 달 내내 라면을 먹었다.

더 이상 라면을 못 먹겠다고 느꼈을 때 공무원 공부를 시작했다. 아니 어쩌면 극단 대표이자 연출가가 선생님이 사투리가 심하다는 이유로 나를 주연 배우로 캐스팅할 수 없다는 이야기를 누군가에게 전해 들었기 때문이다.

어느 길로 가야 행복할 수 있는지 단 한 번도 고민해 본 적 없는 나는 시험공부를 시작 한 날로부터 가장 가까이 있는 시험에 응시했고 그것이 이십 년 넘게 다니고 있는 직장이 되었다.

위계질서가 심한 공무원 생활로 생기와 호기심을 잃어갔다. 터무니없는 욕설과 부당한 요구를 당연하게 생각하는 고객을 오래 상대하다 보니 사람이 무섭고 싫었다. 거기다가 고객 만족에 대한 도를 넘는 직장 업무 문화는 내가 조직의 부속품일 뿐임을 비참하게 느끼게 했다. 민원을 올린 고객의 집을 찾아가 사과의 의미로 선물을 전달하며 민원을 취하해 달라고 사정하는 일도 다반사였다. 민원 점수가 경영평가에서 주요 변수였다.

도시에서의 마지막 직장은 시장 안에 있었다. 장날이 지난 다음 날이면 술 마시고 토한 오물이 우리를 기다리곤 했다. 명절 기간에는 바빠서 화장실도 뛰어갔다 와야 했다. 어떤 동료는 제때 화장실을 갈 수 없어서 생리대에 실례를 하기도 했는데 결국 병이 생겼다. 세상에 그런 시절도 있다. 직장에서 에너지를 다 소진하고 퇴근하면 말 그대로 손 하나 까딱하기 싫었다. 내가 살아가는 이유인 아이들이 곁에 오는 것도 귀찮았다. 제발 나를 내버려 두었으면 하는 것이 가장 큰 소망이었다.

이건 아니지 않은가, 도대체 무엇을 위해서 이러고 살아야 하는가 하는 죽음 같은 절망은 결국 나를 함양행으로 이끌었다.

2013년 5월 29일 함양으로 이사했다. 사십 대 중반이었다.

다니던 정토불교대학이 함양에는 없었다. 결국 집에서 가정 법회를 열어 1년 동안 5명의 도반과 매주 법문을 들었다. 수업이 끝나면 밤 열두 시가 되도록 이야기를 나누곤 했다. 함양에서의 첫 활동이었다.

생활이 극적으로 변하지는 않았다. 하지만 시나브로 뭔가가 변해가고 있었다. 가장 좋은 점은 지향이 비슷한 사람들을 오프라인으로 쉽게 만날 수 있다는 것이다. 카페였던 <빈둥>은 훌륭한 디딤돌이 되었다. 그곳에서는 마음 뭉클하고 재미있는 뭔가가 늘 진행되고 있었고 게다가 집과 가깝기까지 해서 좋았다.

침 뜸을 조금 배웠다. 폐교된 학교에 터를 잡은 온 배움터에 첫 수업을 들으러 간 날을 잊을 수가 없다. 제멋대로 자유롭게 풀이 자라 있는 운동장은 자연스럽고 싱그러웠다. 낡은 건물은 소박하고 정겨웠다. 모든 것이 세련되고 잘 정돈된 건물에서는 느낄 수 없는 정취가 나를 위로했다.

함양시민연대에서 진행한 매주 목요일 점심을 같이 먹는 모임도 잊을 수 없다. 각자 한 가지씩 음식을 가져와서 푸짐한 상을 차렸다. 때로 즉석에서 전을 굽기도 하고 어묵탕을 끓였다. 여러 연령대의 사람들이 같이 식사하는 경험은 신선하고 따뜻했다. 그 시끌벅적함에 고향에서 열리던 마을 잔치를 떠올렸다.

독서 모임, 타로 모임, 태극권 모임, 걷기 모임, 글쓰기 모임을 해왔다. 우리는 이야기하고 또 이야기했다. 가르시아 마르케스의 <이야기하기 위해 살다>라는 책 제목은 우리에게 딱 어울리는 표현이다. 다채로운 모임이 진행되는 것을 지켜보기도 했다. 매번 멤버가 바뀐다면 그건 꽤 아쉽고 뭔가가 허전한 기분이 들 텐데, 함양에서의 모임은 모이는 사람이 계속 겹쳐서 너무나 좋다. 그러니 이들은 어쩌면 내가 할머니가 되어서도 계속 만날 수 있을 것이니 한 사람 한 사람이 소중하고 고맙다.

지금은 농촌유토피아대학(Utopia Study Box)에서 공부하고 있다. 한국판 미네르바 대학을 꿈꾸는 이곳은 캠퍼스나 강의 없이 과제 중심으로, 자기 주도적으로 공부한다. 나의 주제는 <생명 회복을 위한 생태주의 연구와 실천>이다. 다시 공부하게 될 줄은 몰랐다. 다양한 사람들이 자기 삶에서 건져 올린 주제로 공부하니 학우들의 과제 발표를 듣는 것도 커다란 매력이다.

도시에서는 허허벌판에 혼자 버려진 것 같았다. 알 수 없는 미래에 대한 두려움은 늘 나를 쪼그라들게 했다. 하고 싶은 것을 하고 살 수 있다는 희망이 없었다. 정규직이 아닌 삶이 두려웠다. 드라마 <미생>의 대사처럼 "회사 안은 전쟁터지만, 회사 밖은 지옥"인 것 같았다. 주입되어 어느새 내 것이 되어버린 자본주의적인 가치관을 벗어날 힘이 없었다. 공기 중에 팽팽하게 떠다니는 돈이 최고라는 가치관을 경멸하면서 동시에 선망하는 이중적인 잣대로 삶은 좌표를 잃어갔다.

이곳 함양에서 야무지게 다정하게 따뜻하게 씩씩하게 살아가는 삶을 보면서 두려움이 서서히 걷히기 시작했다. 그들이 선택한 삶은 상상력과 용기를 주었다. 연대와 나눔이 꿈틀거렸다. 그들은 숲이 되어 서로를 지키고 있었다.

나는 강해졌고 삶의 기쁨을 되찾기 시작했다. 다시 꿈꾸기 시작했다.

보름달 밤에 집에 있으면 곤란해

한밤중에 뒷간을 가려고 방문을 나서는 순간 내 눈을 의심했다. 이제 초가을인데 마당에 눈이 하얗게 쌓여있다. 어, 그런데 춥지 않잖아. 잠시 어리둥절하게 있었다. 눈이 아니라 달빛이었다. 낮 동안 그 존재가 희미했던 앞산은 휘영청 밝은 달빛으로 시리고 아련한 파란 하늘을 배경으로 착하고 어질게 서 있었다. 낮고 잔잔한 노래로 나를 부르는 것 같다.

보름달을 생각하면 늘 생각나는 고향 집에서의 기억이다. 어린 내게 그런 풍경은 <지금 여기>가 아닌 <어딘가 다른 곳>이었다. 달빛을 통해서 신비라는 말을 알게 되었다. 마음이 한없이 부드러워지고 너그러워지니 보름달 예찬론자가 될 수밖에 없다.

보름달 동아리를 만들고 싶다. 보름이 되면 들이나 숲이나 강이나 정자에서 모인다. 말없이 하염없이 걸어도 좋고, 막걸릿잔을 앞에 놓고 시조를 읊어도 좋고, 구수한 노랫가락의 흥에 겨워 덩실덩실 어깨를 흔들어도 좋겠다. 모든 것이 빠르게 흘러가는 시간의 한복판에서 보름달마다 시간을 멈추고 싶다.

하림공원과 탁 트인 한들, 상림공원의 넓찍한 상림천은 동아리를 시작하기에 안성맞춤이다. 함양은 정자가 많기로도 유명하다. 먼 옛날 함양의 선비들이 정자에서 술잔을 기울일 때, 훗날 그들이 노닐던 정자에서 보름달마다 풍류를 즐기는 후손들이 있을 거라는 대화도 오고 갔을 것이다. 정자에서는 말투도 예스럽게 하고 선조들의 문학으로 이야기 나누면 좋겠다. 주제는 <오늘은 나도 선비>

강 나들이는 2022년에 '함양의 강 탐사'를 진행했던 함양 환경 사랑연구회의 도움을 받아야겠다. 달밤에 함양의 민물고기도 그리자. 상상의 민물고기도 좋다. 제목은 <달빛 속을 헤엄치는 물고기 그리기>. 대학 시절 지인은 달밤에 종종 호수를 헤엄친다고 했다. 은빛 호수 속의 아름다움과 평화로움에 눈물이 난다고 했다. 우리도 물놀이하자. 한여름 얕은 물에서 둥그렇게 손에 손을 잡고 앉아 발랄한 게임을 하자. 주변의 나뭇가지로 강의 돌들을 북 삼아 두드리며 노래도 불러보자. 돌에 풍경이나 얼굴을 그려 책장에 나란히 장식해야지. 아무것도 하고 싶지 않은 날에는 돗자리에 누워 조용히 물 흐르는 소리를 들으며 이 강물이 떠나는 여행을 따라가 보리라.

사실 보름달 밤에 가장 하고 싶은 것은 말없이 오랫동안 걷는 것이다. 달밤은 그 자체로 충만하다. 무채색인 세상도 이렇게 시리게 아름다울 수 있다는 감탄을 멈출 수 없으리라. 생활의 전투에서 잃어버린 낭만이 고스란히 돌아올 것이다. 다음날이면 한낱 꿈에 불과할지라도, 꿈에서라도 누릴 수 있는 행운에 감사한다.

골목골목 작은 정원을 가꾸고 싶어

함양읍은 예스러운 풍경을 지닌 골목이 많다. 상림공원 앞에는 골목이 하나 꺾일 때마다 천만 원이 떨어진다는 얘기가 있지만, 골목이 하나 꺾일 때마다 시대가 바뀐 듯한 분위기에 돌아가신 엄마의 뒷모습을 이 골목 어디쯤에서 볼 수 있을 것 같은 아련한 상상을 하게 된다. 과거를 품은 골목길이 개발의 굴착기에 사라지지 않게 되기를 바란다.

나는 골목의 정원사가 되고 싶다. 풀 한 포기 용납하지 않는 시멘트의 골목마다 작고 아담한 정원을 가꾸는 것이다. 행정기관에서 천편일률적으로 심는 그런 꽃은 노 노. 고향 들판에서 피어났던 한 송이 패랭이꽃은 수백 평 펼쳐지는 튤립꽃보다 심금을 울렸다. 밤이 되어 내 방에 누워서도 그 패랭이가 아른거렸지만, 튤립은 떠오르지 않았다. 문득문득 안부가 궁금해지는 그런 정원을 가꾸고 싶다.

보라색 나팔도 꼭 심고 싶다. 잘 자란 나팔은 커다란 나무처럼 사방으로 줄기를 뻗어 무수하게 꽃을 피운다. 근무하던 직장 근처에 그런 나팔이 있었다.

집 안에서 나팔을 키운 적이 있다. 태양이 잘 들어오는 커다란 창에 망을 걸고 꽃이 아름드리 피는 모습을 상상하며 지극 정성으로 돌보았다. 바깥의 나팔들이 아직 아기일 때 우리 집 베란다의 나팔은 쑥쑥 자라 꽃을 피우기 시작했다. 기쁨은 거기 까지였다. 꽃이 태양을 쫓느라 밖을 향해 피니 그의 얼굴을 볼 수 없었고 안타까운 것은 바람이 부족하여 병충해의 습격을 받기 시작했다. 식물은 태양과 비, 그리고 바람이 키우는 것이었다.

골목에 심을 꽃은 골목에 살고 있는 사람들의 마당에서 나눔을 받아 정원이 우리들의 것임을 은근히 알리면 좋겠다. 그래서 정원 가꾸기가 골목의 작은 놀이터가 되고 이웃과 자연스러운 대화가 오가고 먹을 것을 나누는 노천 골목 카페가 되면 멋지겠다.

비가 심하게 오는 저녁 밤이면 맘속에 품은 새싹이 행여 다칠세라 마음 졸이며 우산을 들고 나와 우산을 받쳐 들기도 할 것이다. 어린 시절 내가 그랬던 것처럼.

0원으로 사는 삶

어떤 만남, 어떤 경험은 인생의 갈림길 포인트가 된다. 박정미 작가의 <0원으로 사는 삶>이라는 책도 그랬다. 이렇게 과격한 책이 단박에 나를 사로잡게 된 것은 우연이 아니다. 오랜 세월 사회와 조직의 시스템에 적응해 오느라 잃어버린 삶에 대한 경외와 깊은 그리움과 회한은 이제는 다르게 살고 싶다는 강한 열망으로 이어졌다.

놀라움과 반가움에 눈을 반짝이고 숨을 참아가며 책을 읽고 적어도 평생 옷은 사지 않겠다고 결심했지만, 몇 개월 후에 가성비 좋다는 이유로 옷을 하나 샀는데, 가성비만 좋을 뿐 필요한 옷은 아니어서 아직 한 번도 입지 않았다. 그러니 가성비라는 것도 결국 소비를 부추기는 허상인 셈이었다. 큰 감명을 받았음에도 유효기간이 몇 개월인 깨달음 또는 각오였다.

하지만 다시 일어나서 다시 시작한다. 무언가에 대항하고 저항하는 의미보다 더 깊이 내려가서 그곳에 있는 나를 만나고 싶다. 이렇게 해서 만나지는 것인지 아닌지 지금은 모른다. 그리고 깊이 내려가는 방법도 모른다. 하지만 적어도 이 방향일 것은 알겠다.

일 년에 3개월은 <0원으로 사는 삶>을 실천해 보려 한다. 소비하지 않는 삶이 가능하기 위해서는 검소한 삶뿐 아니라 순환과 나눔, 공유와 연결이 필수적이다. 부유하지만 뿔뿔이 흩어지는 개인이 되어 화려하게 자아를 확장하고 디스플레이 하는 삶보다 덜 부유하지만, 증여와 공유로 연결되어 대동의 삶을 흉내를 내 볼 수 있으면 흐뭇하겠다.

<0원으로 사는 삶>의 어떤 만족이, 소비로 얻을 수 있는 만족을 대체할 수 있을까 반신반의하는 마음이 없지 않다. 소비하지 않는다는 것은 삶의 즐거움을 포기하는 것은 아닌가 하는 염려도 있다. 그러나 나는 덤벼볼 것이다. 내가 어떤 그림을 그릴 수 있는지 몹시 궁금하니까!

그렇지. 벌써 작은 변화들이 있다. 할인한다고 해서 필요하지도 않은데 필요할 것을 대비해서 구매하지 않는다. 물건이 주는 편리함을 포기하고 불편을 감수해 보겠다는 마음을 가지니 꼭 필요한가 하고 질문하는 것은 물론이고 마음도 더 단단해지는 것이다. 가까운 곳은 운전하지 않고 걷는다. 식재료를 낭비하지 않기 위해 주기적으로 식재료 구매를 멈추고 냉장고 파먹기를 한다. 그리고 쿠팡의 알림판을 들여다보는 시간이 줄었다. 작은 변화들이 쌓여 또 다른 변화들로 이어지리라 믿는다. 그 변화들이 새로운 길이 될 것이다.

함양에서 사람을 만나다

사람 k

k는 정토회가 인연이 되어 알게 되었다. 면식이 없는 상태에서 카카오스토리 친구가 되었다. k의 카카오스토리에 올라오는, 연필로 일상을 그린 그림이며 따뜻하면서 담백한 글은 마음에 고요하게 스며드는 즐거움이었다. 부지런히 댓글을 달았고 k도 상냥한 댓글로 응해 주었다.

그러던 중 무를 총총 썰어 실로 엮어 처마 밑에 매달아 말리고 있는 그림에 무 차를 만들고 있다는 글이 올라왔다. 무로 차를 만들어 먹는다는 것을 처음 알게 되어 맛이 몹시 궁금하다고 했다. 며칠이 지난 어느 날 금융 업무 마감이 끝날 즈음 처음 보는 고객이 내 쪽으로 오는 것이다. 마감되었음에도 업무를 봐달라고 고집부리는 고객이 더러 있어 마감 시간에 고객이 오면 반사적으로 거부감이 든다. 차가운 어투로 업무가 마감되었다고 말했다. 고객은 김성순 씨가 누구냐고 물었다. 그녀는 무 차를 건넸다. k를 처음 만난 순간이었다. 너무 무안하여 제대로 인사도 건네지 못하고 허둥지둥 k를 보냈다.

몇 년 뒤 고등학생이 된 아들 담임 상담이 있어 학교에 갔는데 거기서 k를 만났다. 아들의 담임이었다. 반가운 듯 행동하면 우리 아들 잘 봐달라는 것 같아서 그때도 어정쩡하게 대하고 왔다.

그리고 또 시간이 흘렀다. 어느 가을 k에게서 전화가 왔다. 책을 읽고 글을 쓰는 모임을 할 계획인데 같이 하지 않겠느냐고. 매우 기뻤다. 그때부터 지금까지 몇 년째 꾸준히 또는 간당간당 모임을 이어오고 있다. 나를 표현하고 탐구하기 시작했고 덮어두기만 했던 상처는 훌륭한 글감이 되어 마주할 힘이 생기기도 하면서 조금씩 단단해졌다. 덩달아 일상을 꾸려가는 실력도 늘어갔다. 글쓰기는 그 어떤 심리치료보다 월등했다.

모임의 다른 사람이 쓴 글을 읽는 일은 그들의 삶과 마음을 듣는 일이었고, 내가 생각지 못했던 방식으로 느끼고 행동하는 모습에서 새로운 힌트와 시각을 얻기도 했다. 그들의 마음이 느껴지니 따뜻하게 연결되는 기분이었다.

시작은 잘하는데 끝이 흐지부지한 나와 달리 k는 한번 시작한 일을 야무지게 꾸준히 해낸다. 이렇게 긴 시간 글쓰기를 이어올 수 있는 것은 전적으로 k 덕분이다.

k는 글쓰기로 나의 영혼을 먹일 뿐 아니라 음식으로도 나를 먹였다.

코로나에 걸렸을 때는 직접 호박죽을 끓여 문 앞에 갖다 놓고, 여행지에서 산 말린 시래기나 예쁜 손수건을 건넸다. 철철이 키우는 채소를 나누고 가을이면 솎은 열무를 갖다주었다. 퇴원

후 입맛 없어 대충 먹고 있는 것을 알고는 샐러드와 대추차를 집까지 배달하기도 하고 농사지은 토란이, 갓 담은 무김치가 퇴근하는 나를 기다리기도 했다.

우리는 함께 상림 숲을 걷고 서로의 집에서 모임을 하고 구례 여행을 다녀오고 책과 영화를 소개하고 좋은 강의나 모임이 있으면 같이 가기도 했다.

이렇다 보니 k를 만나려고 함양에 왔나보다 하는 생각이 들곤 한다. 집과 직장에 매여 살던 내게 k는 따뜻하고 아름다운 바다다.

사람 Y

Y 또한 카카오스토리 친구로 먼저 알았다. Y는 어떤 모임에 나를 초대했고 첫 만남에서 두 시간 내내 수다를 떨었다. Y는 늘 힘이 넘쳤다. Y의 세계는 나와 몹시 다르지만 어색하지 않았고 흥미로웠다. 몇 년 동안 주말마다 만났다. 이번에는 어떤 이야기를 할까 설레기도 했다. 자신이 하는 일에 대한 의미 부여를 섬세하고 개성 있고 풍부하게 해서 나는 놀라곤 했다.

커피숍이 시끄러워 차 안에서 이야기를 이어간 적이 있었다. 오쇼 라즈니쉬의 글을 읽을 때 가끔 어떤 신비로움에 휩싸일 때가 있는데 그날도 그랬다. 밝은 달이 비추어 차 안은 은빛 공기가 가득했고 Y의 이야기는 은빛을 닮아서 공중 부양하듯 붕 뜨는 기분이 들었다.

Y의 권유로 태극권을 배우기 시작했다. 태극권 선생님은 한 달에 한두 번 서울에서 내려왔다. 여러 사람이 오가는 중에 Y와 나는 고정회원이었다. 춥지 않을 때는 상림 숲이나 초등학교 운동장 나무 아래에서, 추울 때는 학교 강당이나 함양체육관에서 연습했다. 팔을 어떻게 움직이라는 건지 발을 어떻게 하라는 건지 도무지 모르겠는 어리둥절한 시간은 일 년이 지나면서 그럴듯한 동작을 갖추어 나갔다. 우리는 따로 만나 발차기 연습을 하기도 하고 애매한 부분을 확인하기도 하고 열심히 하자고 마음을 다지기도 했다.

일본에서 개최되는 태극권 대회에도 참가했다. Y가 동행하지 않았다면 참가하지 않았을 것이다. 20개의 동작으로 구성된 진식 소가의 입문 투로인 사정 태극권을 일 년 동안 연습했는데 뭐 그런 걸로 국제대회까지 하나 싶었다.

Y와 우리 집은 가까웠다. 일본으로 떠나는 날 집 앞에서 만났는데 깜짝 놀랐다. 너무 예뻤기 때문이다. 만화영화의 주인공이었다. 얼굴은 꽃이고 입고 있던 노란색과 초록색 옷은 꽃받침이었다.

대회에서 좀 더 고차원적인 것을 배울 수 있을까 기대했지만, 사정 태극권을 일본어로 설명하면 영어로 통역하고 시범을 보이고 따라 하는 게 다였다. 실망스럽고 지루했다. 그러나 Y는 아주 진지하고 성심성의를 다했다. 그 모습이 너무나 인상적이었다.

Y는 많은 사람 속에서 에피소드를 읽어내는 힘이 있었고 이야기를 만들어 내는 능력이 있었다. 영어 실력은 엉망이었는데도 불구하고 신기하게 대화를 계속 이어 나갔다. Y는 그런 사람이었다. 눈치와 감이 뛰어났다. 우리는 일본을 다녀온 후로 영어에 빠져서 한동안 영어 공부를 하느라 난리를 피웠다.

언제 봐도 뭉클해서 몇 년째 시간만 나면 보는 드라마 <미스터 션샤인>에 이런 대사가 있다.

"난 원체 무용하고 아름다운 것들을 좋아하오. 달, 별, 바람, 농담, 웃음, 그런 것들"이 대사는 시간에 쫓겨 합리성과 효율성에 갇혀 있던 내게 탈출구를 열어주었는데, Y와 함께 한 시간도 그랬다. 그것들은 무용하기 때문에 탈출구가 될 수 있는 아름다운 것들이었다.

소중한 인연, 콩

어렸을 때 나는 우리 집 동물 담당이었다. 동물을 좋아하다 보니 자연스럽게 그렇게 되었다. 개나 고양이, 토끼, 닭, 오리를 키웠다. 사촌은 내 어린 시절을 고양이를 늘 안고 있는 아이로 기억한다. 토끼풀을 뜯으러 나갔다가 낫에 손가락을 베인 적도 있다. 닭은 다른 사람이 다가가면 달아나도 내가 다가가면 가만히 앉았다. 그러면 쓰다듬어 주곤 했다. 오리는 열 마리를 키웠는데 아침마다 강에 데려다주었다. 일렬로 줄지어 뒤뚱뒤뚱 강으로 향하는 오리들이 신기하고 사랑스러웠다.

아이들이 어릴 때는 햄스터, 새, 토끼, 금붕어, 강아지를 키웠다. 햄스터와 새는 술에 취한 남편이 살고 있던 아파트 화단에 풀어 주었다. 우리 집은 토끼를 보러 온 아이들로 늘 북적거렸다. 1층 베란다에 풀어놓고 키웠더니 점프 실력이 나날이 늘어갔다. 자연을 느끼게 해주고 싶어서 베란다 밖 화단에 울타리를 치고 키웠는데 땅굴을 파서는 달아났다. 오일장에 갔다가 귀여운 강아지에게 반해서 가슴에 품고 데려왔는데 아픈 강아지였다. 엄청난 기생충을 토하더니 이틀 만에 죽었다.

지금은 13살 하트와 2살 콩이라는 고양이가 있다.

    대학 친구인 희는 단골 식당 앞에 다리를 다친 고양이를 발견하고 나을 때까지만 보살펴 주려고 집에 데려갔다. 얼마 지나지 않아 임신한 고양이인 것을 알게 되었고 결국 친구 집에서 6마리를 낳았다. 집에서 7마리의 고양이를 키우는 것은 보통 일이 아니다. 한 마리 키우지 않겠냐고 사진을 보내왔다. 그 무렵은 딸이 동생을 낳아달라고 보채던 때였다. 혼자 있는 시간에 외로울 딸을 위해서 데려오기로 했다. 그렇게 해서 하트는 우리와 함께 지내게 되었다.

    함양도서관에 책을 반납하러 갔다가 펜스로 둘러쳐진 작은 공간에서 새끼 고양이가 지내는 것을 보았다. 데려가 키울 사람을 찾는다는 글도 붙어 있었다. 잠깐 놀아주었다. 펜스를 타고 기어 올라오는 폼이 재빨랐다. 몸은 재기발랄하고 끼가 넘치는데 눈이 슬퍼 보였다. 그날 밤 자려고 침대에 누웠는데 슬픈 눈이 자꾸 떠올랐다. 긴 밤에 혼자 지내기가 외롭고 무서울 것 같았다. 다음 날 데리고 왔다.

    차를 타면 한 시간이고 두 시간이고 줄곧 울어대는 하트와 달리 콩은 조용했다. 처음 왔을 때 일주일 넘게 책상 밑에 숨었던 하트와 달리 종횡무진 거실을 쏘다녔다. 너무 까불고 한시도 가만히 있지 않았는데 눈은 여전히 슬퍼 보였다. 두 달짜리 아기 콩을 보고 11살 하트는 경계하느라 하악질을 해대었지만 콩은 그러거나 말거나 노는데 정신이 없었다.

    하트는 배고프면 밥그릇 앞에서 울다가 앞발로 사료통을 건

드려 쓰러뜨린다. 내가 자고 있으면 얼굴에 대고 울다가 반응이 없으면 귀에 대고 울다가 그래도 안 일어나면 귀를 깨문다. 목 아래에 앞발을 얹고는 발톱을 오므리기도 한다. 발톱에 찔려 아파서 일어날 수밖에 없다. 하트는 몹시 착실하게 단계를 높여가며 나를 깨우려 갖은 시도를 한다.

콩은 밥 달라고 울지 않는다. 우는 방법을 몰랐다. 어딘가에 갇혀도 울 줄 몰라서 한 참 뒤에 콩이 없는 것을 알고는 온 집을 뒤진 적이 한두 번이 아니다. 거의 일 년이 지나서야 우는 법을 익혔는데 그나마도 소리가 짧고 작았다. 그 귀여운 소리에 콩이 언제 우나 기다리곤 했다.

힘이 넘치는 콩은 하트만 보면 다부진 입매로 하트를 물어서 콩을 피해 다녔다. 물그릇 앞에서 콩이 물을 먹고 있으면 하트가 슬그머니 다가와 그루밍을 해준다. 언제든 돌변하는 콩도 이때는 하트를 그루밍 해주곤 하는데 유일하게 사이가 좋은 장소여서 나는 이 모습을 '우물가 평화협정'이라 부른다.

하트는 앞발을 뻗어서 스트레칭을 하지만 콩은 뒷발을 뻗어서 스트레칭을 했다. 지금은 콩도 앞발 스트레칭을 한다. 종일 뛰어다녀서 개 호흡까지 하던 콩은 이제 하루 종일 잔다. 눈도 더 이상 슬퍼 보이지 않는다. 내 배 위에 올라와 30분이고 한 시간이고 죽치고 앉아 있곤 하는 하트는 내가 먼저 만지려 하면 슬그머니 몸을 내뺀다. 아주 아주 얄밉다. 콩은 만지기만 하면 물었는데 지금은 콩이 배에 얼굴을 파묻고 부비부비를 해도 가만히 있다. 목과 얼굴에 부비부비를 하면 무심한 듯 새침한 듯 다른 곳을 처다보는데 그 모습이 토라진 애인 같다.

나는 앞으로도 이곳 함양에서 오래도록 소중한 인연을 만들어 나갈 것이다.

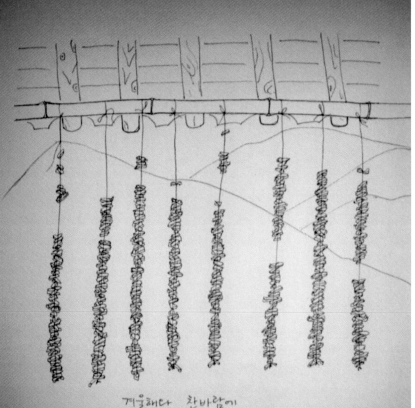

겨울해다 찬바람에
꼬들꼬들 말라가는 무.
여섯 개를 사각기둥으로 썰어
내다 걸었다.
무차도 끓여마시고 반찬도 해야지.

2014. 1. 27.

박주원

도시에 사는 게 본성인 줄 알았는데
함양에 정을 붙이고 육 년째 산다.
역마살을 제대로 타고나 떠돌아다니는 것을
좋아하지만 한편으로는 상림이 있는 이곳
함양에서 사는 시간도 좋다.
육십이면 스페인에 가서 보헤미안적인 삶을
살 것이라고 입에 달고 있어서
어떤 이들에게는 정상이 아닌
인간처럼 보일 수도 있겠다.
뭐 어떠냐. 내가 좋고 사는 오늘이 좋으면 그만이지.
자유롭게 살자.

낯선 뒷모습들

새벽 6시 00분 : 흰둥이

새벽마다 찾아오는 흰둥이의 뒷모습.

이른 새벽, 가을 하늘을 올려다본다. 어제와도 같고 그제와 도 같은 하늘. 너무 눈부시고 완벽한 하늘에 그만 눈물이 난다. 코끝이 시려서인지 가슴이 벅차올라서인지 가을이 깊어져 가고 시간이 흘러감을 머리보다 가슴이 먼저 아쉬워하는 것인지 모르겠다.

눈물을 주워 담고 고개를 돌리니 녀석과 눈이 마주친다. 우리 집에 아침마다 밥 먹으러 오는 동네 떠돌이 어미 개 흰둥이.

항상 주눅 들어 있는 두 눈 사이로 깊어져 있는 갈색 눈물 자국은 고단한 하루하루를 사는 게 아니라 버틴다는 말이 어울린다. 몸은 말라비틀어져 항상 쫓기듯 휘청거리고, 다리 사이로 축 처져 볼품없는 늙은 할미의 젖가슴은 어딘가를 떠돌 새끼들에게 내어 남김없이 내어 주었으리라. 동네에서는 떠돌이 개 쫓아내려고 이장님께서 밥을 주지 말라고 하셨다. 집 앞을 서성이는 흰둥이는 믿을 건 우리밖에 없다는 듯 새벽마다 우리 집으로 찾아온다.

금방 지은 밥을 절반 덜어 흰둥이 밥그릇을 채운다. 아직 김도 가시지 않은 그 뜨거운 밥을 씹지도 않고 삼키듯 먹고 돌아가는 녀석의 앙상한 뒷모습은 나를 슬프게 한다. 언제까지 밥을 챙겨줄 수 있을까. 우리라도 챙겨줘야 굶지 않으리라. 개 사료를 사서 아침마다 대접한다. 그 식사가 하루의 전부인지 어디서 먹다 남은 음식 쓰레기를 뒤적거리는지는 모른다.

걸음을 돌려 현관문을 열고 들어오는 순간 흰둥이의 뒷모습을 잊는다.

오전 8시 30분 : 아이들

등교하는 아이들의 뒷모습.

아득히 들려오는 이장님네 수탉 울음소리. 스산한 가을 아침의 찬 기운은 곧 겨울이 다가옴을 알리는 듯하다. 따뜻한 이불을 부둥켜안고 끝까지 버텨보는 아이들의 돌아누운 모습은 나의 어릴 적 모습과 다를 바 없다. 얼마나 학교에 가기 싫은지 눈을 꼭 감고 뜰 생각을 안 하는 어리광쟁이들. 어르고 달래 욕실로 보낸다. 아이들에게 따뜻한 밥 한 숟갈 떠먹이고 보내면 엄마 짓을 한 것 같고 냉동 핫도그를 대충 데워서 먹여 보내면 죄책감이 든다. 점심까지 오전 내내 기다리겠지. 핫도그 하나 얻어먹고 쫓기듯 학교에 가는 아이들의 뒷모습.

첫째 놈은 고개를 푹 떨구고 세월아 네월아 운동장을 터덜 터덜 걸어서 가고, 둘째 놈은 친구들이 반가워 뛰어가고, 셋째 놈은 아침이 마음에 안 들었는지 학교에 가기 싫은 건지 잘 다녀오겠다는 인사도 매번 안 하고 가고, 넷째 놈은 마냥 엄마랑 헤어지기 싫고 수학이 어려워 학교 가기 싫은 눈치를 보인다.

차 핸들을 돌려 좋아하는 음악을 틀고 출근하며 아이들의 뒷모습을 잊는다.

오전 10시 30분 : 부부

개인지도 받고 돌아가시는 부부의 뒷모습.

남원에서 기타를 배우러 함양까지 오시는 사이좋은 부부. 따뜻한 계피차를 나눠 마시며 학원 오기까지의 고단함을 달래 드린다. 학원에 오기까지 준비하고 나서는 모습을 생각하면 내 온 열정을 다하여 가르쳐 드리고 싶다. 한 음 한 음 어린아이 첫걸음마 하듯이 때론 설레는 마음으로, 때론 어리광 부리듯 엄살을 피우는 부부. 서로 격려하며 핀잔주며 투덕거리는 모습마저 아름답다고 느낀다. 지칠 줄 모르고 1시간 내내 열심히 연습하시더니 처음의 띵땅띵땅 기타 소리가 선율이 되어 흐른다.

그들의 연습하는 소리에 귀 기울인다. 연습을 마치면 함양에서 점심을 먹고 바람 쐬고 남원으로 돌아가신단다. 너무 감사하다고 말씀하는 표정에서 진심을 본다. 기타 교재를 소중한 그 무엇처럼 두 손에 꼭 쥐고 집으로 다시 돌아갈 때의 뒷모습은 내 마음을 뿌듯하게 한다.

부부를 배웅하고 난 뒤 주린 배를 움켜잡고 과자 하나 입 안으로 욱여넣는다. 먹은 과자가 소화되기도 전에 점심을 서두르며 부부의 뒷모습을 잊는다.

오후 1시 00분 : 장애인

상림 숲에서 마주치는 장애인들의 뒷모습.

초가을 햇살이 내리쬐는 상림 숲 입구. 어딘가에서 풍겨오는 중학 시절 창문 밖 화단에 있던 나무 만리향의 향기. 장애인들이 숲길을 걸을 때 지르는 함성에서 나의 고향이 떠오른다. 중학 시절 친구들과 교실에 앉아 점심 후 창문을 열고 후식으로 먹던 만리향의 향긋한 내음. 그때 운동장에서 동네 장애인이 소리 지르며 운동장을 뛰어다니는 모습.

그 친구도 우리 또래였으니 지금은 중년 아저씨가 되어있지 않을까. 어릴 때의 모습을 그대로 지니고 커버리는 어른아이. 자기 자신이 왜 남의 도움을 받아야 하는지 자신을 인지조차 못 한 채로 자라버린 친구. 만리향 향기가 날 때면 나는 그곳 중학교 교실에서 운동장의 그 친구를 바라보는 내가 사진 속의 한 장면처럼 기억에 남는다.

상림 숲에서 장애인과 산책길에서 마주치면 인사 한마디

나누어 줄 수 있을 텐데. 그럴 용기가 안 나 눈도 못 마주치고 지나간 그들의 뒷모습만 하염없이 바라보는 내 마음은 나를 슬프게 한다.

발길을 돌리고 음악을 들으며 다시 걷다 보면 그 장애인의 뒷모습을 잊는다.

오후 4시 30분 : 시계

떠나버린 시계의 시침 돌아가는 소리는 슬프다.

가만히 앉아 손수 내린 향긋한 커피의 향기. 학원 거실에서 들리는 딱딱 부딪히는 소리. 적막한 곳에서 유일하게 시간이 흐름을 들려주는 시계. 학원의 수많은 시계 중 유일하게 시간이 가고 있다고 말하며 나를 깨어있게 한다. 가끔은 나의 마에스트로. 기타를 연주할 때 박자까지 세어주는 정다움까지 갖춘 만능이다. 3년 전. 골동품 가게 먼지 쌓인 구석에서 발견. 구석에 있는데도 내 눈길을 자꾸 잡아채는 느낌이란. 구경만 하려고 했다가 덥석 껴안고 온다. 3만 원에. 주인아저씨는 고장난 시계라 싸게 주신다고 하고 혹시 모르니 00당에 가서 시계를 고쳐보라고 한다.

나는 00당에 바로 달려간다. 그런데 시계 상태를 보지도 않고 문전박대. 심통 사납다 눈으로 욕한다. 심봉사 젖동냥 다니듯 여기저기 시계방을 들쑤시고 다니다가 결국은 내 자식은 내가 고친다는 마음으로 학원으로 가져와서 공구 상자를 꺼낸다. 아이고. 이게 웬걸! 혹시나 태엽을 돌렸더니 이 녀석 기막히게 기관차처럼 딱딱 소리를 내며 달려준다. 너무나 고마워 우리 아이 반기듯 와락 껴안았더니 시계의 태엽 소리가 나 살아있음을 알린다.

3년이 지난 지금도 2~3분씩 계속 늦게 움직여 손가락으로 돌려주는데 나에게 지나간 시간은 다시 돌아오지 않는다고 상기시킨다. 학원생들의 계단 올라오는 소리에 문을 열어주고 오후 레슨이 시작되면 나는 잊는다.

"지나간 시간은 다시 돌아오지 않아."

오후 9시 00분 : 엄마와 아들

몽롱한 정신에 허공을 디디듯 칠흑같이 어두운 밤을 뚫고 집으로 가는 그림자.

언제부터였을까. 상림의 주차장에서 엄마와 아들이 지칠 줄 모르는 밤새 숨바꼭질. 엄마의 얼굴은 거친 울먹임과 수년간 되뇌었던 말들의 반복으로 감정 없어 보인다. 조금은 구슬픈 노랫소리 마냥 "그러면 안 돼!"하며 아들을 뒤쫓고, 겨울 고드름처럼 얼어붙어 아무것도 들리지 않는 듯하다. 그들을 본 날은 슬프다.

처음 함양에 왔을 때 보았던 것은 6년 전이다. 어린아이와 젊던 엄마는 어디 가고 몸만 자라버린 아들과 주름이 깊은 골짜기보다 더 깊어진 엄마의 숨바꼭질은 퇴근하는 나의 차 앞에서 영락없이 마주친다. 나의 차를 귀여운 강아지처럼 쓰다듬고 만지고 두들겨 보는 호기심 많은 아들 앞에 엄마는 고개를 숙이며 여간 죄송하단 말만 되풀이하고 괜찮다고 말하는 나의 눈을 쳐다보지도 못한다. 엄마와 아들이 내 차를 쓰다듬고 두들겨 보는 동안 그냥 우두커니 서서 지켜본다. 심장은 고동을 치고 눈 녹은 물줄기처럼 눈물이 자꾸 새어 나온다. 그렇게 끝도 없고 알 수 없는 고단한 하루하루를 버텨온 게 벌써 몇 해일까. 한동안 차 주위를 맴돌더니 경찰서 쪽 산자락에 걸쳐있는 산사로 걸어간다.

나는 차에 올라타 내가 오기만을 기다리는 아이들을 떠올린다. 엄마와 아들의 숨바꼭질이 앞 유리창에 어른거린다.

세상에서 가장 슬픈 것은 잊혀 가는 일이 아니라 내가 잊어버리는 일이다.

마녀가 되고 싶어요

첫 번째 이야기 : 나는 이성적인 사람이니까

몇 주 전 인천에서 친구가 왔다. 바람 쐬러 어디로 갈까? 하다가 일도 볼 겸, 바람도 쐴 겸 창원으로 향했다. 바다 보고 이야기 나누다 보니 배가 고팠다. 희한하게 그 친구하고 만나면 꼭 면을 먹는다. 비 오는데 냉면을 먹으러 갔다.

"창원 가로수 길에 예쁜 카페가 많지? 그럼 타로나 사주카페도 있겠네? 우리 시간도 많은데 타로점 보러 갈까?"

주제 당 오천 원이다. 재미로 한 가지씩 보기로 했다. 서로 듣고 싶은 이야기를 듣고 나온 것 같다. 표정을 보니 기분이 좋아 보인다. 예전에는 사주 엄청나게 좋아했었다. 그냥 궁금했었다. 사주는 정해져 있으니 들어도 들어도 비슷한 말인데 왜 자꾸 갔을까? 돈도 비싼데. 돈 아깝다. 다음에 절대 안 봐야지, 하면서 또 간다. 근래에 사주를 또 봤다.

"욕심이 저 구름 위에 있어서 불안하고 스트레스를 많이 받는구먼"

"그러면 제가 어찌 생각하면 되겠습니까"

"그대의 미래 꿈이 노숙자라고 생각하고 사시오."

"그거 너무 심한 거 아닙니까~ 껄껄껄"

둘이 함께 대놓고 웃었다. 그 자신도 웃었나 보다. 그런데 좀 생각해 볼 문제라는 생각이 들었다. 심각한 것은 아니고 이왕 거지로 살 거면 날 아무도 알아보지 못하게 외국 거지로 사는 게 좋겠다는 생각을 잠깐 했다. 아마 그때가 그냥 되는대로 살자는 마음을 가지게 된 계기가 되었다.

'이제 사주는 볼 만큼 봤어. 사주는 끊자. 그러면 점사를 보러 가볼까?'

처음이었다. 신기 있는 사람들 눈은 무섭다. 도대체 어디를 쳐다보고 있는지 눈동자에 생기가 없다. 관상 보고 대충 입에서 나오는 대로 주절댄다고 생각해서 꺼렸다. 그래도 한번은 보자는 생각에 함양 토박이 수강생에게 귀띔받고 점사 집으로 갔다. 할머니가 계셨는데 아무리 봐도 신기가 안 느껴진다. 예민한 나는 그런 사람을 보면 소름이 돋는데 이분은 너무 편하다 못해 옆집 할머니 그 자체다. 그것도 오만 원. 망했다. 돈만 날렸다 싶었다. 오늘 허튼짓으로 십만 원 날린 날이다. 그날이 사주와 점사를 하루 만에 보고 두 번 다시 보지 않으리라 다짐했던 날이었다.

그 뒤로 철학관이나 점집은 발길을 끊었다. 지금 생각해 보니 듣고 싶은 말을 듣고 싶어서 갔었던 것 같기도 하고 무엇인가에 계속 기대고 싶었던 것 같으시고, 한다. 불확실하고 단단하지 못한 내면 때문이지 않을까. 철학과 인문학을 가까이하면서 사주와 점 타로 이런 것들과는 자연스레 멀어졌다. 철학자 강신주의 이야기를 들으면서 얼마나 내가 희한한 것에 사로잡혀 있었나 하는 생각에 한심스러웠던 적도 있었다.

'그런 건 절대로 안 믿어야지. 우주의 주파수 파동 그런 게 어딨느냐.'

궁금하고 알고 싶지만 애써 모른 척한다. 나는 이성적인 사람이니까. 암만.

두 번째 이야기 : 내 이상형

마녀가 되고 싶었다. 있지 않은가, 수정구슬에 이상한 주문을 외고 눈알을 이리저리 굴리면서 점성술을 다루는 타로카드를 펼쳐 신비스러운 눈빛으로 사람들의 앞날을 점쳐주는 그 마녀 말이다. 매부리코에 사마귀, 안 된다. 녹색 얼굴, 안 된다. 녹색을 좋아하지만, 얼굴엔 좀 그렇다.

내가 가장 사랑하는 영화가 두 편 있다. 첫 번째가 1939년도의 오즈의 마법사, 두 번째가 1993년도 호커스 포커스다. 오즈의 마법사를 먼저 말하자면 내 맘의 첫 번째는 예쁜 도로시 아니다. 서쪽 마녀, 녹색 얼굴에 검은색 긴 모자와 치렁치렁한 거적때기 같은 옷 완전 맘에 든다. 그녀를 처음 보고 첫눈에 홀딱 반했다. 기괴한 웃음소리도 내 스타일이었고 빗자루를 타고 나는 모습, 물에 녹아서 연기를 뿜으면서 괴성을 지르며 없어지는 마지막 모습까지 너무 황홀했다. 환상 그 자체였다. 몇 번이고 보고 또 보고 dvd를 사서 소장했다. 그녀를 보려고. 그렇게 많이 봤으면 지루할 만도 한데 그렇지도 않은 게 신기할 정도였다.

그 사람 다음으로 호커스 포커스. 대중적으로 인기를 얻은 영화는 아니지만 30년이 지난 지금도 기억하는 '호커스 포커스' 세 자매 마녀가 주인공이다. 완전 유치하기 짝이 없긴 한데 적어도 나한테는 아직도 보고 싶은 영화다. 요즘은 할로윈 시즌을 챙기는 시대라 이 영화를 간혹 본 적이 있는지 모르겠지만 어릴 적만 해도 썩 인기 있는 영화는 아니었다. 1편이 끝나고 2편을 기다렸지만, 후속작은 나오지 않았는데 작년에 29년 만에 호커스 포커스 2가 개봉이 된 것이다. 전작의 주요 배우들이 그대로 복귀했다는 것만으로도 너무 가슴이 설레고 적지 않은 즐거움을 선사해 주었다. 마녀들은 아이들이나 잡아먹는 무서운 할머니라고 생각했었는데 세 마녀는 아주 유쾌하고 젊고 매력적이었으며 독특한 수다와 걸음걸이는 자꾸만 흉내 내게 만든다.

그렇다. 어릴 때부터 마녀가 되고 싶었다. 그에 관한 책, 영화들을 찾아보는 게 취미였고 집에 혼자 있을 때면 혼자서 마법 주문을 외웠다. 미운 놈이 있을 때는 주문으로 저주도 했었나? 기억은 잘 안 나지만 그러고도 남았을 거다. 가만히 있는 애꿎은 싸리 빗자루를 다리 사이에 끼고 마당을 빙빙 돌기가 일쑤였고 2층 올라가는 계단에서 빗자루 끼고 뛰어내려서 다리를 삐기도 했다. 괜히 무섭고 어두운 표정으로 거울을 보고 내가 진짜 마녀라고 생각했었고 그렇게 밤만 되면 목에 긴 보자기를 매고 동네를 돌아다녔다. 혼자서 별자리를 보면서 점성술에 관해서 관심도 가져보았고 중학생 때는 별이 너무 좋아서 천문학자가 되는 게 꿈이었던 적도 있었다. 아, 별이 쏟아지는 곳에서 매일 밤 다른 모든 것들이 저 별들에 비해 얼마나 시시한지 떠올리며 살고 싶다는 생각도 했었던 것 같다. 어렸을 적에 수정구슬을 갖고 싶었지만 구하지 못해 비슷한 것을 쓰레기장에서 주워 책상 위에 올려놓고 들여다보기도 했다. 항상 내 마음속의 이상형은 마녀였다.

세 번째 이야기 : 앞으로의 흐름도

난 뿌리 속까지 감성적인 사람이다. MBTI도 INFP. 상대방 마음 강제 공감형.

지난번 친구와 한번 재미로 본 게 시발점이 되었나? 며칠째 계속 생각이 난다. 결국 타로카드와 타로 책을 샀다. 역시 나답다고 생각한다. 긴 생각 안 한다. 하고 싶으면 그냥 일단 저지르고 본다. 이제 그러면 안 되는데 하면서도 그렇게 사는 삶이 더 재밌다. 한편으로는 대체 무슨 생각을 하고 있지? 드디어 네가 미쳤구나! 하고 자신에게 욕을 한다. 타로 책, 이 요물 같은 것이 너무 재밌다. 카드 내용이 머릿속에 쏙쏙 들어온다. 그림을 읽으면서 내담자의 상황에 따라 도움을 줄 수 있는 말을 건넨다는 건 너무 매력적이다. 바로 이거다. 그동안 무기력했던 내 얼굴에 갑자기 피가 확 도는 것을 느꼈다. 무기력해지는 이유가 지쳤거나, 좋아하는 게 없거나라더니 둘 다가 동시에 해결된 것 같다.

'이제는 타로에 관련된 물품을 사들여야지. 왜 이렇게 설레지.'

'타로 책과 타로카드는 샀으니, 다음에 필요한 게 뭐지? 맞아, 예쁜 천이 필요하겠어. 카드를 멋지게 쫙 펼치려면 벨벳으로 된 타로용 전문 천이 필요하겠다.'

'그것이 스프레드 천. 타로카드 주머니가 보라색이니까 보라색으로 비슷한 색깔로 맞춰야지. 신비스럽고 좋은 색이야.'

레노먼드 오라클 카드. 난 고전적인 걸 좋아하니까 고전적인 카드로 어릴 적부터 너무 갖고 싶었던 수정구슬은 가격대가 좀 있어서 다음 강사료 들어오면 사면 되고'

'원장실을 좀 더 신비롭게 꾸며서 타로 보는 장소로 만들면 어떨까? 생각만 해도 너무 재밌잖아.'

즐거웠다. 타로점을 봐주다가 머리가 아프거나 신기가 떨어지면(나는 내가 신기가 있다고 믿는 사람 중 한 명) 충전할 곳이 또 있지 않은가. 천년의 숲 상림. 숲이 오래되어서 그런지 왠지 영험한 기운이 깃들어 있는 것 같다. 모든 것이 완벽하다.

내가 동경하는 마녀에 가깝게 만들어져 가는 내 모습을 보는 게, 상상하는 게 웃기기도 하고 오랜만에 즐겁다는 느낌이 든다. 와, 이거 완전히 신나잖아! 자꾸 히죽히죽한다. 내가 좋아하는 일을 가지고 사람들을 즐겁게 해주고 거기에 돈까지 벌 수 있는 일이라 난 어쩜 좋은가? 기분 좋게 김칫국물 한 사발 마셔본다.

타로카드 읽는 방법과 내담자와의 주파수를 맞추는 것이 중요하다. 계속 책을 읽고 공부 중이다. 올 연말까지 가까운 사람들과 학원생들에게 타로를 봐주면서 경험을 쌓고 연말쯤에는 오프라인 수업을 조금 알아보고 다녀 봐도 좋을 것 같다.

지금은 매주 목요일 창원에 타로 보는 곳을 두 군데씩 탐방 중이다. 어제도 두 군데 다녀왔는데 첫 번째 간 곳은 엉성하다. 대충 봐주고 약간 비관적이다. 한 가지 봐주는데 건당 칠천 원. 보통 오천 원인데 좀 비싸네. 한 건 봐주고는 더 묻지 말고 가라는 눈치다.

'더 묻고 싶으면 돈 더 내라'

이런 눈빛으로 나를 자꾸 쳐다본다. 기분 나쁘게끔. 그래서 나도 쳐다봤다. 여긴 땡! 두 번째 본 곳은 내담자와 소통을 많이 하면서 아주 정성스럽게 카드를 읽어준다. 낙관적이지만 그래도 조언만큼은 자신의 소신을 이야기 해준다. 건당 오천 원인데 맘에 들어서 세 가지를 보고 만 오천 원을 냈는데 아깝지 않다. 당연히 내 스타일은 두 번째. 상담하고 나왔는데 마음이 가벼운 게 어깨의 짐을 내려놓은 듯한 편안함이 느껴져서 다음에 한 번 더 찾고 싶다는 생각이 든다.

네 번째 이야기 : 내 꿈은 스페인 노숙자

스페인에 가게 되면 보헤미안이 되어서 기타 메고 돌아다니면서 사람들 점이나 쳐주면서 살고 싶다. 이보다 더 완벽한 삶이 있을까? 그렇다. 고백하자면 내 꿈의 종착지는 스페인 노숙자다. 정말 그곳에서 거지처럼 살고 싶다. 길거리에서 기타치고 타로 봐주고 돈 몇 푼 벌면 그 돈으로 술 먹고 밥 먹고, 배부르면 길거리 아무 데서나 누워 자고 싶다. 하루 벌어 하루에 다 탕진하고 담날 또 벌고 쓰고. 내일을 위한 오늘을 사는 것이 아니라 오늘을 위한 오늘을 사는 삶. 내 몸 하나만 건사해도 즐거운 삶. 좋다 좋아!

'자, 그러면 해외로 나가려면 첫 번째는 영어!'

생각만 해도 머리가 아프다. 이제 시작이지만 원어민과 공부를 시작한 지 몇 개월이 조금 넘었다. 아직도 외계어를 막 뱉는다. 이건 한국어도 아닌 것이 영어도 아닌 이상한 말. 내가 생각해도 '말도 안 되네?' 하면서도 일단 뱉고 본다. 서로 어이 없어 웃고 나면 선생님께서 내 영어를 깔끔하게 정리해 주신다. 정 답답하면 한국말로 해주신다. 한국어 아주 잘하신다. 참 고맙다. 영어 공부가 끝나면 스페인어도 공부해야지. 아주 유창

하진 않지만, 한국어, 영어, 스페인어 막 섞어서 쓰면 어떻게든 되지 않을까.

얼마 전 카페에서 아는 분을 만났다. 오후에 학교 수업에 가느라 기타를 메고 갔었는데 그분께서 앉아계셨다. 내 기타를 보시더니 스페인의 알람브라 궁전에 관해서 이야기하고 보헤미안이 어떻게 살아가는지 사는 곳은 어떤 곳인지에 대해서 말씀해 주셨다. 운명이다.

사실 나는 웬만해서는 기타 연주 안 한다. 한번은 부산 지하철에서 옆에 계시던 아저씨께서

"악기 연주하는 사람인가 봐요. 그거 기타예요?"

이 아저씨 계속 말 붙이거나 연주 한번 시켜볼 기세다.

"네, 기타입니다. 저는 연주자가 아니고 기타 배달하는 사람입니다."

라고 말하고는 얼른 그 자리를 떴다.

카페의 그분은 대단하시다. 나를 스스로 연주하게 만드시다니. 감사의 답례로 알람브라 궁전의 추억을 연주해 드렸는데 너무 좋아해 주셔서 기분이 좋았다. 그렇다. 나의 모든 계시는 스페인의 노숙자로 향하라고 말하고 있다.

그날 한 걸음 더 다가간 느낌. 내일 눈뜨면 내가 스페인 길거리에서 낮술 먹고 자다가 오늘의 한국에서의 일을 꿈을 꾼 것 같은 날, 그런 날이 오겠지.

다섯 번째 이야기 : 어쩌면 함양에도 타로 마스터가 있을 지도 몰라요

타로 마스터에게는 이름이 있다. 내가 찾아본 이름만 해도 힐링타로, 엔젤타로, 진유타로, 묘재의 타로 등 친근한 이름부터 기괴한 이름까지 자신만의 쏘울로 이름을 지었으리라.

나는 '타로 마스터 소피'다. 글로 적으면서도 부끄럽다. 소피가 된 이유는 강가 요가원에서 수업 끝나고 착의하는 중에 옆에 있는 미인분의 말씀 때문이었다.

"어, 누구랑 닮았는데. 어디서 봤지? 어디에 나왔더라. 그 일본만화 영화!"

"아, 맞다! 하울의 움직이는 성에 나오는 은발의 여자주인 공이랑 똑같아요."

요즘 들은 말 중 가장 예쁜 말이다.

"고마워요. 덕분에 종일 기분 좋았답니다. 다음에 제가 밥 한번 살게요."

아이러니하게도 행운은 뜻하지 않게 찾아오나 보다. 그렇게 덥석 행운의 손님을 맞아들였다. 학원에 돌아와서 주인공의 이름을 검색해 보니 소피였고 내 영어 이름을 소피로 해야지 생각했다. 그게 타로 마스터의 이름까지 갈지 또 누가 알았으랴. 내 이야기를 들은 가까운 사람들은 나를 '은발의 소피'라 부른다. 내심 뿌듯하다. 학원 이름도 '소피 클래식 기타'라고 지었으면 좋았을걸. 살짝 아쉽다. 내 맘속에 쏙 들어온 이름 소피. '소피타로'다.

언제나 자유롭게

토요일 아침 8시 39분. '삑' 문자 소리에 더듬더듬 핸드폰을 집었다.

'주말 이른 아침부터 웬 문자야.'

잠시 들여다본 후 다시 눈을 감았다. 눈이 뜨거워지는 것을 느꼈다. 초등학교 친구 중 아픈 손가락 같은 친구가 있는데 아버지의 부고를 알리는 문자였다. 장례식장이 어딘지, 돌아가신 아버지의 연배가 어떻게 되는지 확인하니 우리 엄마와 같은 나이였다. 너무 젊으시고 이제 인생을 즐기실 나이에 위암으로 오랜 시간 투병을 한 것 같았다. 친구에게 바로 출발한다고 알리고 옷장 문을 여니 마땅한 옷이 없었다. 조문객의 예의에 맞지 않는 화려하고 특이한 옷들뿐이었다. 어쩔 수 없이 가시지 않은 더위와 맞싸울 가을 정장 옷을 꺼내 입고 에어컨을 최대로 돌리고 울산으로 향했다.

친구 이름은 종명이다. 지금은 자수성가한 사업가가 되었다. 자신보다는 집안을 위해서 자신이 무엇을 할 수 있을까 생각했다. 누나는 몸이 불편했고 남동생도 자신이 가정을 책임져야 한다는 중압감을 양어깨에 짊어지고 살았다. 어려서부터 가정이 어려워 맘고생을 많이 했다. 집안이 어렵다면 나도 둘째 가라면 서러운데 나와 비슷한 녀석이었다.

지난 봄 함양에 바람 쐬러 내려온 적이 있다. 사업에 성공해 눈부시고 멋져 보이던 녀석의 맘속 아픈 이야기를 상림 숲을 걸으며 듣게 되었다. 자신은 어렵게 자수성가한 속된 말로 흙수저를 물고 태어나 바닥에서 시작하였지만, 주변의 회사 대표들은 다이아몬드 수저를 입에 물고 태어났다. 같이 잘 어울리고 좋은 형들이지만 주변 사람들은 자신의 마음에 공감하지 못하는 거리감으로 인한 외로움을 많이 느껴 힘들었다고 한다. 가족들이 쓸 수 있을 정도의 돈을 벌어 놓고는 삶은 끝내고 싶었다는 이야기를 듣고는 속으로 많이 놀랐고 얼마나 힘든 삶을 살아왔는지 짐작할 수 있었다. 뭐라고 위로를 해주고 싶었지만, 아무런 말도 나오지 않아 할머니 밥알 씹듯 가만히 귀 기울였던 생각이 난다.

초등학교 동창들과 조문하고 앉아 자연스럽게 어릴 때 추억을 곱씹었다. 서로 이야기 나누는 가운데 혼자만의 어릴 적 살던 동네를 떠올려 보았다.

울산의 변두리 지역인 덕하라는 곳이 어릴 적 고향이다. 어릴 때는 시내에 나가면 어디 사냐고 물으면 덕하에 산다고 말하기 부끄러워 외가의 동네 이름을 대곤 했다. 외가는 부자 동네이기 때문이다. 어릴 때 이야기를 별로 좋아하지 않고 추억하고 싶지 않아 한다. 가정형편이 정말 최악 중의 최악이었기 때문이다. 나에 관해서 이야기하는 걸 극도로 꺼리고 숨길 수 있다면 숨기고 살고 싶다는 생각과 기억 저편으로 묻어두고 다시는 꺼내고 싶지 않은 검은 기억들뿐이었다. 누군가가 과거 이야기를 하면 그 자리를 슬그머니 떠나기 일쑤였다.

나를 낳아주신 아버지. 지금은 돌아가셨지만, 아버지와 어머니 오빠와 나, 네 식구다. 아버지는 가정에 관심이 없는 사람이었다. 처자식을 건사할 생각도 없고 돈을 성실하게 벌어서 아이들을 잘 보살펴야겠다는 생각이 하나도 없었다. 하루걸러 하루 술을 먹고 시장 길바닥에 자거나, 술 먹다가 멀쩡한 사람과 시비가 붙어 파출소도 몇 번 들락날락했다. 다른 여자들에게 눈 돌리는 건 뭐 기본이었다. 노름판에서 돈을 다 잃고 빈 월급봉투를 가지고 오는 달도 많았다. 구멍가게가 가서 외상으로 물건을 심부름해 오는 건 오롯이 내 몫이었다.

최악의 상황은 술만 드시고 오면 우리에게 손을 댔다는 것이다. 그냥 손에 잡히는 대로 때려서 머리며 뺨이며 종아리며 오빠와 나는 성한 곳이 없었다. 바깥에서 못난 사람이 가정에서 약한 상대를 대상으로 화풀이하는 것이다. 엄마도 무서웠을 것이다. 아이들 왜 때리냐고 한마디씩만 하실 뿐 맞는 우리를 몸으로 감싼다든지 적극적으로 말리지는 않았다. 어처구니없는 것은 그렇게 실컷 때리고 나서는 엄마에게 과일을 깎아 오라고 해서 우리보고 먹으라 한 일이다. 그제야 고문이 끝나는 순간이다. 무릎 꿇고 앉아서 어서 이 상황이 끝나기만을 기다리며 눈물을 뚝뚝 흘리고 방바닥만 쳐다보며 꾸역꾸역 먹었다. 오빠와는 지금도 서로 애틋해하고 우리 둘 밖에 없다며 잘 지내고 있다.

엄마는 이런 상황이 진절머리가 나서 쪽지를 적어놓고 자주 집을 나가시기 일쑤였다. 아침에 일어나서 쪽지를 보면 심장이 덜컹하고 눈물이 쏟아졌다. 혹시나 아버지가 싫고 우리도 지긋지긋해서 집에 영영 안 돌아오실까, 하고 두려워했다. 다행히 엄마는 다음날에는 집에 돌아왔고 그때서야 안심이 됐다. 매번 이런 생활의 연속이었다. 항상 조용한 옆집 친구를 부러워하며 살았던.

아버지는 내가 스무 살 되던 해 비가 많이 오는 날 결국 위암으로 돌아가셨다. 그때부터였던 것 같다. 공황장애, 불안증. 그때는 이런 말들이 없었다. 한번은 중학교 때 전교생들 앞에서 반 대표로 독후감을 발표할 기회가 있었다. 그때 내가 우리 반 대표로 나가기로 했다. 책을 읽고 글을 쓴 것도 좋았고 이제 전교생 앞에서 발표하는 일만 남았는데 심장이 너무 뛰고 정신이 하나도 없었다. 남들이 봐도 불쌍할 정도로 덜덜덜 떨어대는 내 목소리에 전교생과 선생님들이 더 조마조마 할 정도였으며 그럴수록 원고에 집착하다 보니 따발총보다 더 빠르게 읽고 자리를 내려왔던 기억이 난다. 개망신이었다. 학교에 가고 싶지 않았다. 그게 아직 트라우마로 남아있다. 처음부터 그러진 않았다. 교실에서 선생님이 교과서 책 읽기를 시키면 일어나서 잘 읽었다.

"너는 목소리도 좋고 글을 잘 읽어서 나중에 아나운서 하면 좋겠다."

말씀하신 게 아직도 기억이 생생하다. 그러나 점점 아버지의 무자비한 매질 탓에 심장이 이미 고장이 났었고 공황장애는 중학교 때부터 지금까지 쭉 이어왔다. 미리 알았더라면 약을 먹고 더 좋아졌을까. 부모님도 무지했었고 나도 그런 내가 부끄러워 숨겨왔다. 이게 숨긴다고 숨겨지나. 어렵게 꾸역꾸역 공부해서 대학에서 유아교육 전공을 했다. 아이들을 가르치고 동료 참관수업, 부모 참여 수업, 각종 행사 이 모든 것들이 사람들 앞에 나서서 해야 하는 일이었다. 후회했다. 어릴 적 동경으로 선택한 직업이 나를 미치게 했다. 교실에서는 아이들하고 수업을 재밌게 하지만 조금만 큰 강당에서나 사람이 여럿 모인 곳에서 마이크로 수업 발표만 하면 떨리는 심장과 목소리는 통제 바깥이었다. 동료 교사들은 의아해했다. 그날 저녁은 술떡이 되는 날이었다. 그 심장 소리는 내 발목을 잡고 지금까지도 놓아주지 않는다.

하늘에서 내려준 나의 씨앗은 예술이었다. 원래 미술로 예고를 가고 싶었지만, 하루하루 숨 쉬고 내 안전을 보존하는 게 우선이었고 부모님들도 자식에게 관심이 없었다. 돈도 없었다. 옆에 친구가 미술학원에 다니고 학교에서 그림 그리는 것을 보았다. 몰래 따라서 그리다가 한번은 담임 선생님께 들켰다.

"너도 예고 갈 거니?"

"아니요."

딱 잘라서 말하고 그림을 찢어서 버렸다. 부끄러웠다. 사실 미술학원 근처도 가본 적 없었고 형편없는 실력에 흉내 낸 그림에 불과했다. 아직도 생각나는데 그 그림은 '말'이었다. 그래서인가 두 번 다시 말 그림은 안 그린다. 꼴도 보기 싫다. 좀 더 커서 울산을 떠났다. 지옥 같은 곳이다. 적어도 나에게는.

성인이 되고 사회생활을 하면서 점점 공황장애는 멀어지는 듯했다. 아마 극복해서라기보다 최대한 그런 상황을 피하면서 살아왔기 때문일 것이다. 마주하고 싶지 않고 떠올리고도 싶지도 않은 불편한 심장 소리와 호흡곤란.

결혼하고 아이들을 낳았다. 첫아이가 아토피와 비염이 심해 귀촌을 했고 벌써 6년이라는 세월이 흘렀다. 그동안 못다 한 그림과 음악, 문학을 가까이하며 평화롭게 지내는 듯 보였다. 좋아하는 클래식기타학원을 운영하고 아이들을 키우면서 행복한 하루하루를 보내고 있다고 생각했다. 또 한 번의 시련이 다가왔다. 학원을 운영하면서 생기는 여러 가지 문제와 상황들 아이들과 남편, 부모님과의 갈등에 점점 숨이 막혀왔다. 근래 안 좋은 상황이 겹치면서 그동안 등한시하고 모른 척했던 공황장애가 다시 발목을 잡았다. 가끔 가슴이 저리고 숨이 안 쉬어질 때 조금 안정을 취하면 괜찮아져서 한 달, 두 달, 한 해, 두 해를 무심히 넘기다 보니 이제 몸이 더 이상 견디지를 못했다. 어느 날 운전하는 중에 갑자기 손발과 가슴이 저리더니 숨이 안 쉬어졌다. 도로 중간에서 생긴 일이라 너무 무서웠고 이러다가 여기서 죽을 수도 있겠다는 생각이 든 건 태어나 처음이었다. 공포감이 들었다. 바로 차를 길옆에 세우고 누워서 안정을 취하려고 했지만, 숨이 안 쉬어졌다. 무서워서 눈물이 났다. 처음으로 119에 전화해서 응급실로 갔다. 공황장애와 흉곽 출구 증후군 때문에 숨을 못 쉬는 건 줄 알았는데 심한 스트레스와 불안장애로 인한 과호흡증후군을 앓고 있었다는 것을 알게 되었다. 응급실에서 신경안정제를 맞고 잠이 들었다가 일어나니 숨이 조금 부드러워졌다. 바로 부산의 신경과에 가서 제대로 된 검사와 바로 약을 처방받았다. 지금도 계속 약을 먹고 치료를 받는 중이다.

지금 와서 생각해 보니 유독 사람들 앞에서 악기를 연주할 때 긴장했던 것이 중학교 때 이후의 트라우마로 인한 것임을 인정하는 기회가 되었다. 공황장애와 과호흡증후군이 있는 것도 받아들이고 다른 사람들에 비해 엄청 예민하다는 것 또한 인정한다. 내 주변의 사람의 얼굴과 그 주변에 느껴지는 기운까지 간혹 감지하곤 한다.

"무슨 일 있지?"

십중팔구다. 무슨 일이 있다. 어떤 사람은 그런 나를 보고 신기가 있단다. 뭐 우스갯소리겠지만. 이제는 내가 부정하고 부끄러워 감추고 싶었던 내 과거의 모든 것을 인정하기로 한다.

이런 나를 모르는 사람들은 겉모습만 보고 온실 속의 화초처럼 자란 줄 안다. 어떤 사람은 외국에서 살다 온 줄 아는 사람도 있다. 한번은 어떤 꼬마가

"우와 외국 사람 같다. 외국 사람이에요? 곤니찌와?"

너무 웃겨서 대놓고 웃었던 기억도 난다. 귀엽기도 하지. 그런데 애석하게도 난 해외여행 한번 가본 적이 없다. 옆집 할머니도 있는 그 흔한 여권도 없다. 그런 내 존재를 그대로 바라보고 인정하기까지 오랜 시간이 걸렸다. 해외여행 한번 못가본 내가 뭔가 살짝 모자라는 걸까, 하느낌이 가끔 들기도 하였다.

그런 내가 변했다. 바뀔 수 있었던 계기는 함양에서 요가하면서 명상 특강을 받은 적이 있었다. 나 자신을 내 맘속 작은 의자에 앉혀두고 바라보란다. 당황스럽다. 눈물이 나는 것이다. 나 자신을 바라보고 있는데 애쓰는 초라한 모습에 연민이 느껴져 눈물이 났다. 처음이었다. 나 자신을 그렇게 바라봐 주었던 게. 나는 왜 한 번도 나 자신을 제대로 바라봐 주고 안아주었던 적이 없었을까. 어리고 힘없었을 때 내가 어찌하지 못했던 상황들에 하염없이 무너져 내렸던 그 어린아이는 얼마나 내가 돌아봐 주고 안아주길 기다렸을까 하는 생각에 눈물이 났다.

요즘은 어려운 일이 있을 때 조용히 걸을 수 있는 상림 숲으로 간다. 조용하고 인적 드문 벤치에 앉아서 눈을 감는다. 어린아이였던 나를 가끔 맘속 의자에 앉힌다. 지금의 우리 아이

들을 바라보듯 사랑스러운 눈으로 어렸을 적 항상 겁에 질려 있는 가여운 나를 떠올리고 지금 네 아이들의 엄마가 된 내가 그 어리고 가여운 것을 꼭 안아준다.

'괜찮다. 애썼다. 잘 견뎠다. '

마지막으로 한 가지 더. 언제가 될지는 모르겠지만 해외 나가면 난 한국에 안 들어올 생각이다. 어딜 가나 외국 여행 어디 어디 다녀왔다는 이야기를 심심찮게 들을 때 나는 이런 생각을 한다.

'그렇게 좋고 자랑할 거면 거기서 살지 왜 돌아오냐.'

최소한의 내 책임을 다하는 날, 아마 60세쯤이 되지 않을 까? 스페인으로 가서 보헤미안의 삶을 살면서 한국에는 돌아오지 않을 생각이다. 마지막을 언제나 자유롭게 아무런 욕심 없이 후회 없는 오늘을 위한 오늘을 살아야지. 내 몸에 새긴 글귀처럼.

'sempre libera (언제나 자유롭게)'

권순애

2022년경 경기도에서 함양으로 이주
처음으로 일구는 텃밭, 글쓰기, 그림 그리기, 곶감
이렇게 바쁘게 사는 중

소로네 빵을 만나다

　소로 빵은 맛이 깊고 은은하다. 함양군청 근처 유명한 어탕국수 옆집으로 처음 어탕국수를 먹으러 갔을 때는 몰랐는데, 나중에 빵 모양의 간판을 작게 걸어 놓은 가게가 있는 걸 알았다. 통유리 창 너머로 흘깃 가게 안을 보면 나무와 유리로 만든 장 한가운데에 둥그스름한 캄파뉴와 치아바타가 주로 놓여 있고, 위쪽에 크루아상과 팽오쇼콜라가 약간 있다. 달콤한 종류는 거의 없고, 몇 개의 식사용 빵이 주종이라 과연 저 가게는 누가 찾으러 오는지 궁금했다.

　그런데 이게 웬걸 시험 삼아 호두 통밀빵을 사서 먹어보고는 눈이 번쩍 뜨일 만큼 깜짝 놀랐다. 화려한 맛으로 입안을 채우는 것이 아니라, 담백하고 고소하면서 은은히 감도는 부드러운 단맛에 상큼한 크랜베리 맛이 섞여 아무리 먹어도 질리지 않았다. 앉은 자리에서 순식간에 한 덩어리를 다 먹고 바로 다시 사러 갔던 기억이 있다. 자세히 보니 인근 제분소에서 앉은뱅이 우리 밀을 도정한 밀가루로 만들었다고 한다. 게다가 갓 구워진 상태에서 구석구석 정성스레 솔질하고, 은은한 갈색 종이에 담아주는 포장이며 눈에 잘 띄지 않는 소박한 로고가 차

츰 보이면서 이 집은 뭐하나 허투루 하지 않겠구나!' 하는 믿음이 생겼다.

먹거리가 다양하고 풍부한 도시에서도 이거다 싶은 빵을 찾기 어려웠는데, 지방 소읍에서 딱 원하던 맛을 찾게 되니 무척 신기한 느낌이 들었다. 그날 이후 바로 단골이 되었고 이제는 주인 부부에게 내적 친밀감을 강하게 느끼며 정겹게 인사하는 사이가 되었다. '공간은 주인을 닮는다'라는 말이 바로 떠오를 만큼 7살과 4살 아들 해솔과 해오, 이들에게서 가게 이름이 나왔다- 을 둔 비교적 젊은 주인 부부는 자신들이 만든 먹을거리와 똑같은 인상을 준다. 담백하면서도 먹을수록 깊이가 더해지는 맛, 화려하지 않고 오히려 질박한 모양새에 건강함이 저절로 전해오는 것이 소로 빵과 부부에게서 함께 느껴지는 인상이다.

함양 읍내가 넓은 곳이 아니다 보니 여기저기 다니다 보면 아는 사람을 만나게 되는 경우가 종종 있는데, 지난 4월 이 집 큰아들을 동네 책방 준비 과정에서 만난 적이 있다. 읍내에 책방 -지금은 함양 문화의 중심지가 된 오후 공책- 이 생긴다고 해서 흥미롭게 문 열기를 기다리고 있다가, 개업을 앞두고 막바지 대청소 자원봉사자를 모집한다는 얘기를 들었다. 선뜻 손을 들고 청소하는 날 가보니 소로 빵 안주인과 큰아들 해솔이가 있었고, 아이는 나와 짝이 되어 책장 먼지 털기와 걸레질을 담당하게 되었다.

7살 해솔이는 여긴 이렇게 했으면 한다는 자신의 의견을

당당하게 표현하고 야무진 손매로 책장 구석구석 걸레질을 하거나, 무서워하면서도 조심조심 사다리에 올라 열심히 청소했다. "오호! 이 녀석 꽤 괜찮네"하는 말이 저절로 나올 만큼 파트너에 대한 만족감으로 노동이라고 느껴지지 않을 만큼 즐거운 시간이었다. 게다가 청소가 끝난 후 간식을 먹을 때 선물받은 과자를 선뜻 나누는 모습에 더욱 기특하게 보였다. 이후 다른 날 둘째 아들 해오도 만날 기회가 있었는데, 그 나이 또래 애들이 가질 법한 번잡스러움 없이 조용하게 제 할 일을 하는 모습을 보니 첫째의 듬직함을 보면서 지었던 미소와는 또 다른 편안한 미소가 지어졌다. 이 부부는 먹을거리만 자신들처럼 만드는 것이 아니라 아이들도 담백하고 자연스럽게 키운다고 하는 생각이 들었다.

　매주 목요일이면 잠시 웃으며 얘기하고 한 주 치 먹거리를 사 올 뿐인데 이상하게 기분이 좋아지는 건 단지 맛있는 빵 때문만은 아닌 것 같다. 환한 웃음으로 맞아 주는 주인 부부와 반가운 인사를 하고 소소한 일상을 나눈 뒤에, 반반 나누어 다른 모양으로 자른 빵을 받아 집으로 오는 길은 한 주 치 에너지를 받아오는 것 같다. 나 못지않게 소로 빵을 좋아하는 남편은 부부의 건실한 삶의 태도가 깃들어 있는 것처럼 소로네 빵에서는 건강함이 느껴진다고 한다.

　함양에 온 후 비교적 처음 만났던 소로네 가족은 내가 어렴풋이 원했던 함양에서 삶의 모습을 오히려 선배처럼 보여주

고 있다. 지리산을 안고 있는 함양에서 살면 이렇게 될 수 있
지 않을까? 내심 기대하면서 도시에 살 때는 쉽게 느끼지 못했
던 소박한 자연스러움, 부드러운 강건함을 소로네를 통해 조금
씩 배워가고 있다.

쉬미수미 사람들 속으로 들어가다

도시에 살다가 시골로 간다고 하면 먼저 걱정하는 것으로 병원이나 문화생활을 꼽는다. 그런데 의외로 내 경우에는 함양에서의 의료환경과 문화생활에 대한 만족도는 더욱 높아진 듯하다. 병원은 사람에 따라 판단 기준이 매우 다르겠지만 아직 큰 병원에 갈 일이 별로 없어서인지, 지금은 동네 의원에서 시간에 쫓기지 않고 진료를 받는 것으로 충분하다. 문화생활에 대해서는 함양에 오기로 하면서 아쉬운 마음으로 포기한 부분이었다. 대신 분기별로 한 번씩 서울로 나들이 가자고 마음먹고 왔는데, 예상과는 달리 서울에 가고 싶은 마음이 거의 들지 않을 만큼 여기에서 문화생활에 만족하고 지낸다. 그리고 지금의 만족감에는 치유 공간 쉬미수미가 큰 역할을 하고 있음이 분명하다.

함양에 온 첫 달에 우연히 요가원에 등록하고 쉬미수미 사람들을 처음 만났다. 요가원 원장님으로부터 나들이를 가는 데 같이 가지 않겠냐는 제안을 받고, 꽤 한참을 망설였던 기억이 있다. 겉보기와 다르게 낯을 많이 가리는 편이어서 낯선 사람들과 무엇을 한다는 게 너무 어색하게 느껴졌기 때문이다.

첫 나들이는 이웃 산청의 작은 영화관을 빌려 함께 영화를 보고 식사하고 차 마시는 일정이었다. 보고 싶은 영화를 보기 위해 극장을 대관한다는 것도 놀라웠고, 식사 후 자연스럽게 이어진 대화에서 자칫 무거울 수도 있는 얘기를 솔직하고 자연스럽게 말하는 것도 놀라웠다. 난생처음 경험하는 극장 대관이며, 전혀 예상하지 못했던 대화의 세련됨에 지금 떠올려 봐도 놀라움으로 가득한 하루였다.

그 이후 쉬미수미 사람들은 홍매화나 벚꽃을 보러 구례와 순천을 찾고, 단지 강둑을 산책하기 위해 1시간여를 달려 담양으로 갔다. 광주에서 김호석 작가의 그림 앞에서 혼자서 또는 자연스럽게 다가가 묵직한 감상을 얘기하고, 더운 여름날 산청에서는 모두가 화가가 되기도 했다. 가을 초입에는 사천의 제철 전어를 - 나는 참석하지 못했다가 나중에 - 먹었다, 통영에 가서는 문 닫힌 미술관이며 카페 앞에서 망연자실한 마음에 어쩔 줄 모르다가 지인 집 테라스에서 오히려 반짝이는 가을을 맞이하기도 했다.

쉬미수미 사람들은 참 잘 놀 줄 아는 사람들 같다. 마구잡이로 뒤섞여 노는 것이 아니라 자연스럽고 기분 좋게, 함께 하는 사람들의 마음을 한껏 돋우어 높아지게 한다. 처음 만난 사람에게도 스스럼이 없어 쉬미수미에서 진행하는 행사에 어쩌다 참석하게 된 타지에서 온 사람이나, 짐짓 무게를 잡을 법한 강연자도 행사 뒤에 이어진 술자리 노래 부르기에서 제외되지 않는다. 트로트와 포크송 때로는 민요를 넘나들며 진심으로 노래하고, 노래하는 동안에는 모두 그 사람에게 집중한다.

유머가 최우선 과제인 사람들처럼 시종일관 웃음이 끊이지 않는데, 시국선언 집회 후 무거워질 법한 자리에서도 유머와 진지를 넘나들며 우리를 슬프게 하는 많은 일들을 자연스럽게 끌어안는다. 같이 있는 순간의 마음을 꾸미지 않은 이야기로 나누고 이후에는 잘 다듬어진 글로 혹은 멋진 그림으로 남겨 그 시간들을 기억한다. 프로그램과 상관없이(실제 기획과 진행이 프로수준이다) 만나기 전부터 즐거움이 기대되는 건, 보일 듯 말 듯 느껴지는 잔잔한 배려 혹은 연륜에서 오는 느긋함이 든든하게 받치고 있기 때문인 것 같다. 엇비슷하게 나이가 들어서인지 날카로움은 덜어내고 미지근하게 유지되는 적당한 거리가 오히려 오래 갈 수 있을 것 같은 편안함을 준다.

지금까지 음악이며, 그림, 여행 등등 많은 것에 관심을 가지고 전시회며 콘서트에 다녀보기도 했다. 하지만 이제껏 이렇다 할 식견 없이 살짝 한 다리만 걸친 것 같아 때로는 혼자 속으로 자괴감이 들었는데, 함양에 온 이후 문화에 대한 관점이 조금 달라졌다. 남이 만들어 놓은 멋진 잔칫상을 구경하는 것도 좋지만, 소박하더라도 내가 직접 상을 차려 보는 일도 꽤 괜찮지 않을까? 그리고 어쩌면 문화라는 것은 생산자와 소비자가 명확히 구분되지 않는 형태가 원형일 수도 있겠다는 당돌한 마음과 함께 무엇이라도 해 보자, 하는 용기가 생겼다. 요즈음에는 그림 모임이나 글쓰기 모임을 통해 어반 스케치와 에세이 쓰기를 배운다. 화가가 될 것도 아니고, 작가가 될 것도 아니지만 생각을 글로 적어내고 마음을 그림으로 표현하는 것을 배우면서 꽤 큰 즐거움을 느낀다. 쉬미수미 사람들은 그 시간을 함께하자고 초대하고 정겨운 말로 서로의 그림과 글에 대해 감상을 나누고 북돋아 준다.

"이거 참 좋아"라고 호들갑 떨며 맘껏 수다 떠는 시간 없이 혼자서 맥없이 기운 빠지던 옛날과 달리, 좋으면 좋은 대로 모르면 모르겠는 대로 자연스럽게 얘기할 수 있는 사람들이 주변에 있다는 것이 무척 안정되게 만든다. 우리는 혼자만의 시간과 리듬으로 각자의 섬 속에서 살아간다고 생각한다. 그러나 어디선가 부드러운 파도 소리, 밤의 별빛, 이지러지는 달빛의 처연한 아름다움을 함께 보고 담담하게 얘기할 수 있는 사람이 있다면 그것만으로도 기운이 나고 충분히 멋진 세상이지 않나 하는 생각이 든다.

함양 읍내를 다니다 보면 길거리 곳곳에 있는 낡고 허름한 의자들이 눈에 띈다. 마을 경관을 생각한다면 얼른 치워야 할 것 같지만, 연로하신 부모님을 모시고 길을 나설 때는 생뚱맞게 나와 있는 의자가 무척 반갑고 고맙다. 어떤 이의 호의 덕분에 무겁던 부모님의 숨소리가 조금은 가벼워질 때 알 수 없는 누군가에게 막연한 감사 인사를 한다. 쉬미수미 사무실이 있는 건물 한쪽에는 커다란 삐에로 그림이 있고 그 아래 빛바랜 긴 의자가 놓여 있다. 쉬미수미 사람들의 마음 씀씀이가 느껴지면서 이런 마음을 받아 또 다른 알지 못하는 누군가에게 전하면 좋겠다는 배움을 얻는다.

"문화"의 사전적 정의는 자연 상태에서 벗어나 일정한 목적 또는 생활 이상을 실현하고자 사회 구성원에 의하여 습득, 공유, 전달되는 행동 양식이나 생활 양식의 과정 및 그 과정에서 이룩하여 낸 물질적 정신적 소득을 통틀어 이르는 말이라고 한다. 이중 특히 사회 구성원, 공유, 생활 양식이라는 것이 눈에 띈다. 말없이 의자를 내어 주고, 가까이 혹은 멀리 있는 아름다움을 찾아 유쾌하게 즐기고, 공유했던 시간을 각자의 느낌대로 스스럼없이 표현하는 사람들과 함께하고 있는 요즈음 어느 때보다 훌륭한 문화생활을 누리고 있다.

딱히 잘하는 건 없지만

과거 내 직업은 사서였다. 사서라고 하면 으레 "책을 많이 읽으시겠어요" 하는데 사서가 직업적으로 책을 많이 읽는 것은 아니지만(표지는 많이 본다), 내 경우에는 책이 있는 삶에 익숙하고 책이 있는 공간이 편하긴 하다. 요즘에는 책보다는 핸드폰을 훨씬 많이 보는 편이면서도 낯선 지역에 갔을 때 도서관이나 서점이 있으면 잠시라도 들러 책(표지)을 훑어 보고, 우연히 들어간 카페에 책이 있다면 커피 맛이 좀 덜해도 눈감아 주는 편이다. 특히 여행 간 숙소 한편에 책장이 있고 책이 꽂혀 있다면 금상첨화다. 타인의 취향으로 꾸며진 서가에서 "오~ 이런 책이" 하는 책을 발견할 때는 여행지와 상관없이 충분히 멋진 여행이 되기도 한다. 여행지와 책이 만날 때 반가운 것은 나만이 아닌 듯 이제는 적극적으로 책을 보며 휴가를 즐기는 사람들이 많아져서 북스테이가 꽤 여러 곳이 생기고 있다. 처음 북스테이라는 말을 들었을 때 무척 솔깃해서 집에서 멀지 않은 곳 몇 군데 찾아가 보기도 했다. 아쉽게도 하룻밤까지 지내지는 못했지만. 책이 있는 공간에서 호젓하게 보낸 짧은 여행은 즐거운 추억으로 남았다.

오래전부터 퇴직하면 귀촌하겠다고 마음먹은 터라 시골에 가면 무엇을 할까 이런저런 상상을 하곤 했는데, 여행과 책을 연결 짓다 보니 자연스럽게 북스테이를 하면 어떨까, 하는 생각이 들었다. 애초에 농사일은 엄두도 내지 못하겠고, 아껴 쓰면 퇴직금으로 그럭저럭 생활은 할 수 있을 것 같았지만 돈을 떠나서 뭔가 할 일이 있어야 한다고 생각했기 때문이다. 북스테이는 특별한 기술이나 재주도 없고 딱히 관심 있는 것도 많지 않은 내가 그나마 해볼 수 있는 일이지 않나 하는 생각이 들었다. 한 번 든 생각은 점점 살이 붙으며 즐거운 상상으로 이어졌다. 정원이 넓은 집 한편에 책이 있는 거실과 숙소가 있는 별채를 지어 밤에는 분위기 있는 음악과 모닥불을, 아침에는 향긋한 커피와 신선한 과일을 곁들인 아침상을 준비하고, 테라스 처마에는 해먹을 걸어 두어 부드러운 바람 아래 누워 책을 읽다가 스르르 잠이 드는 곳. 물론 바쁘지 않게 손님은 하루에 한 팀만 받아야 하니 영화 '안경'에서처럼 간판은 눈에 띄지 않게 작게 만들어 걸어 두는 게 낫지 않을까? 간혹 마음 맞는 손님을 만나면 마음에 쏙 드는 책을 추천받고 추천하기도 하면서 소소한 수다가 이어지는 날들을 상상했다. 이런 상상은 먼저 귀촌한 지인의 얘기를 듣고 수긍하기 전까지 한동안 행복한 시간을 주었다.

포기가 빠른 것은 때로는 장점이 될 때도 있어, 지인의 충고를 듣고 부터는 좀 더 현실적으로 귀촌을 바라보게 되었다.

더욱이 퇴직을 앞에 두고 이런저런 계산을 해보니 여유 없는 살림에 환상을 좇고 있었구나!' 하는 생각에 정신이 번쩍 들었다. 애초 큰돈을 벌 생각은 아니었지만, 낯선 고장에서 익숙하지도 않을 일을 한다고 허둥지둥거리다가는 그나마 얼마 없는 돈도 까먹기 십상일 것 같았다. 상상하는 동안은 즐거웠지만 딱 거기까지 감사하고 북스테이에 대한 생각은 미련 없이 깔끔하게 접었다. 지인은 적어도 3년은 가만히 주변을 살핀 후에 무엇인가를 시작해도 늦지 않을 거라고, 그리고 집도 처음에는 읍내에 마련했다가 나중에 이사를 생각해 보는 것이 어떠냐고 조언해 주었다. 지금 생각해 보면 너무 적절한 조언이지 않았나 싶다.

　무엇을 해야겠다는 생각 없이 함양에 온 첫 겨울에는 아침에는 산림에서 산책하고 오후에는 출근하듯 도서관에 갔다. 도서관에 들어서면 얼굴을 익힌 사서 선생님에게 가볍게 눈인사하고 전날 읽다가 말았던 책을 서가에서 뽑아 들고 늘 같은 자리에 앉아 책을 읽었다. 두어 시간쯤 책을 읽다가 돌아갈 시간이 되면 다시 서가에 책을 잘 갖다 두고 근처 마트에서 장을 보고 집으로 돌아오거나 요가원에 들러 운동을 하고 왔다. 일주일에 한 번 정도는 좋아하는 카페에 들러 차를 마시며 천천히 지역 신문을 보며 나름의 문화생활을 즐기기도 했다. 아침에는 산책하고 오후에는 도서관에 가는 반복되는 일상이 무척 편안하고 안정되게 느껴졌지만, 사람도 별로 없는 겨울 거리를 볼 때는 조금 지루하고 심심해서 문득문득 함양 사람들은 무엇을 하며 시간을 보낼까 궁금했다. 이 무렵부터 인스타그램을 시작했는데 온라인 너머에서 함양은 왁자지껄 하지는 않지만, 소곤소곤 조용하게 무엇인가 움직이고 있는 것 같았다. 그것이 무엇인지는 잘 모르겠지만 나도 끼워주면 좋겠다는 생각이 들었다.

집에서 도서관에 가다 보면 함양성당을 지나게 되는데, 함양으로 오면서 성당에 열심히 다녀야겠다고 마음먹은 터라 오며 가며 성모님께 인사 겸 기도를 드렸다. 딸이 험한 세상 스스로 잘 살아가기를, 부모님이 품위 있는 노년을 보내시기를, 내가 함양에 도움이 되는 사람이 되기를. 북스테이에 대한 환상이 깨진 후 이상하리만치 무엇을 해야겠다는 마음이 아예 들지 않았다. 대신 '뭔가 할 일이 있겠지, 없으면 또 그런대로 살아야겠지, 다만 지역 사회에 도움이 되는 사람이면 좋겠다'라는 생각이 들기 시작했다. 함양이 나에게 뭘 해준 것도 없는데, 도움이 되는 사람이 되었으면 하는 마음이 왜 들었는지는 모르겠다. 어쩌면 낯선 사람에게 선뜻 건네는 인사를 받았기 때문이었을 수도 있고, 오래오래 살 곳이라는 마음에 미리 잘 보이고 싶은 마음이 들어서일 수도 있다. 여하튼 섣불리 무엇인가를 정하지 않고 함양을 위해 도움이 되면 좋겠다는 생각은 스스로 무척 대견하게 느껴져, 성당에 들를 때마다 꼭 빼먹지 않고 하는 기도가 되었다.

아쉽게도 이런 대견한 마음은 내게만 있는 것은 아닌 듯, SNS로 알고 있는 창녕에 귀촌한 젊은 친구가 있는데 그 친구는 창녕을 위해 봉사하고 싶은 마음에 반짝이 조끼와 모자를 직접 사서 입고 양로원 트로트 봉사를 다닌다고 했다. 게다가 댓글을 통해 꽤 여러 명이 각각 귀촌, 귀농한 지역에 도움이 되기 위한 활동을 찾아보거나 이미 작은 일이라도 무엇인가 하고 있다고 답하는 것을 보면서 놀랍기도 하고 반가운 마음이 많이 들었다. 스스로 선택하고 새롭게 시작하는 삶의 터전에서 잘해보자고 다짐하는 것은 어쩌면 당연한 일일지도 모른다. 그리고 이 마음들을 잘 모은다면 지역과 개인에 꽤 긍정적인 결과로 이어질 수 있을 듯하다. 다만 지역에서 원하는 것과 개인이 잘할 수 있는 것을 어떻게 맞춰 나가고 꾸준하게 이어가야 할 것인가 하는 고민과 함께 내가 잘하는 것은 무엇일까 더듬어 보았다.

그런데 아무리 생각해도 딱히 잘하는 게 없다. 어렸을 때부터 하고 싶은 것도 없었고, 눈에 띄게 잘하는 것도 없었다. 장래 희망도 누구나 희망하는 선생님 말고 별다른 게 없었고 (그마저도 대학 갈 무렵에 미련 없이 포기했다), 적극적으로 뭘 찾아 배우거나 특별히 갖고 싶은 것도 없었다. 조용한 모범생에서 자연스레 평범한 월급쟁이로 이어진, 무엇이든 그럭저럭 하긴 하는데 딱히 기발하게 잘하는 건 없는 사람, 딱 그게 나였다. 다만 해야 하는 일이나 맡게 된 어떤 상황에 대해서는 사람이거나 일이거나 혹은 놀이이거나 열심히 하기는 한 것 같다. 그리고 이런저런 교육을 받아 보면 어렴풋이 주변 상황을 알 수 있고 그 안에서 내가 할 수 있는 찾을 수 있지 않을까 해서 군에서 제공하는 교육을 제법 열심히 듣고 있다.

함양군에서는 귀농, 귀촌자에게 꽤 체계적인 교육프로그램을 제공하는 데, 이론과 실습을 겸한 농사나 생활 교육뿐만 아니라, 농업 경영인으로 필요하다고 생각되는 경영 관련 교육도 제공한다. 강사는 다양한 직업과 활동을 하시는 분들이 오는데, 경영 컨설팅을 하시는 분들의 강의가 제법 있다. 그런데 의외로 그분들의 강의가 끝나고 나면 기억에 남는 것이 별로 없이 이상하게 씁쓸한 기분이 든다. 돈이 중요한 것은 너무 당연하지만, 어느 순간 최우선으로 되는 가치가 돈이라는 느낌이 들 때는 살짝 괴리감이 느껴지면서 함양에서는 조금 다른 가치도 찾아보고 싶다는 마음이 들었다.

그러던 중에 마을활동가 양성 교육프로그램이 생겼는데, 강의 내용이 지금의 고민을 더욱 진지하게 한다. 딱히 마을활동가가 되어 보겠다는 마음으로 프로그램을 신청한 것은 아니고, 강사진이 좋아 보여서 신청했는데 시간이 지날수록 조금씩 무거워지는 마음으로 강의를 듣고 있다. 전국 각지에서 오는 강사들이 각자의 모습으로 자신이 선택한 지역에서 함께 어떻게 살아가고 있는지 담담하지만 뜨거운 목소리와 마음을 보여주어 큰 울림을 준다. 강의가 진행될수록 그분들이 지치지 않고 10년~20년 동안 지치지 않고 계속 활동할 수 있는 동력은 무엇일까 궁금하기도 하고 그분들만큼 적극적이지는 않더라도 함양에서 꾸준히 할 수 있는 나만의 동력을 만들고 싶다는 바람이 생겼다.

지난 여름 우연한 기회에 치유공간 쉬미수미에서 같이 일해보지 않겠냐는 제안을 받았다. 어떤 면을 보고 제안했는지 모르겠으나 길지 않은 시간을 생각한 후에 수락했고 아마 당분간 쉬미수미 사무장으로 일하게 될 듯하다. 문화 예술과 관련된 다양한 행사나 모임을 운영하는 곳이니 관심 분야와도 잘 맞고, 만나는 사람들도 더할 나위 없다. 더욱이 사무장이라고 별로 바쁜 일도 없어 큰 부담 없이 자연스럽게 지역 사회의 일원으로 스며드는 것 같은 느낌이 든다. 앞으로 쉬미수미를 통해 어떤 일을 만나게 될지 모르겠지만, 그것이 어떤 것이든 함양에서의 삶의 동력으로 이어져 꾸준하게 오래 함께하기를 그리고 그 시간이 모여 부디 좋은 결과로 이어져 기도처럼 함양에 도움이 되는 사람이 되었으면 한다.

덧 1) 지난 산삼 축제 때 친환경 수세미 뜨기 행사에 인사차 갔다가 수세미를 하나 떠왔다. 살랑살랑 부는 바람을 맞으며 뜨개질하는데, 내가 이런 시간을 바랐나보다 하는 마음이 들었다.

덧 2) 동네 책방에서 늙은 호박을 나눔 받았다. 그 호박으로 죽을 쑤려고 굳이 산삼 축제 이벤트에 참여해서 찹쌀을 얻었다. 이런 얘기를 하니 단골 빵집에서는 선뜻 개구리 팥을 내주었다. 호기롭게 호박죽을 쑤어주겠다고 다짐하고 기어이 들통 한가득 호박죽을 쑤어 넉넉하게 나누어 먹었다. 하고 싶은 일이 이만하면 꽤 훌륭하지 않은가?

시칠리아식 가지절임

최근에 시칠리아식 가지절임을 알게 되었다. 가지를 팬이나 오븐에 살짝 구워 레몬즙 섞은 올리브유에 재워두면 되는 간단한 요리다. 부재료는 오레가노나 파슬리 같은 허브와 마늘 정도? 지난봄에 달랑 두 포기 심어둔 가지 모종은 여름을 지나 작은 나무만큼 자라서 쉼 없이 열매를 내어 준다. 가지무침, 가지밥, 가지전 등등 아는 요리를 여러 차례 해봐도 수확량을 소화해 내기도 바빴는데, 2달 남짓 저장이 가능한 요리라고 하니 반가운 마음에 얼른 만들어 보았다.

우선 텃밭에서 가지를 서너 개 따와 도톰하게 썰어 소금을 살짝 뿌려두고, 냉장고를 뒤져 같이 넣을 재료를 찾았다. 어머님이 넉넉하게 까놓으신 마늘 대여섯 알을 우선 챙기고, 마침 토마토 말려 놓은 것도 있어 넣어 보기로 했다. 얼마 전 나눔 받은 깻잎은 서양 허브 대체재다. 큰 볼에 올리브유, 레몬즙, 소금을 섞은 소스를 넣고 구운 가지와 다른 재료들을 버무려 밀폐용기에 담으면 끝. 생각보다 일찍 마무리하고 식탁에 앉아 알록달록한 밀폐용기를 가만히 들여다본다. 붉은 토마토, 진초록 깻잎, 흰 마늘쪽과 어우러지는 검은 가지의 색감이 꽤 이국

적이다. 갑자기 마피아의 엄숙한 중절모와 땡볕 아래 이리저리 뛰어다니는 아이들의 소리며, 음식 냄새 가득 찬 좁은 골목길이 영화처럼 펼쳐지는 듯하다.

하지만 정작 이탈리아는 가본 적이 없다. 유적이며, 풍광이며, 음식, 하물며 개성 강한 사람들까지 뭐 하나 빠지는 것 없이 최우선 여행지로 꼽히는 여행지에, 여행을 좋아하는 편 이었는데도 어쩌다 보니 기회를 얻지 못했다. 그리고 당분간은 쉬이 기회를 얻기도 어려울 듯하다. 함양으로 귀촌하면서 친정 아버지와 시어머니를 각각 모시게 되어 여행을 생각할 겨를도 없고, 이상하게 예전만큼 여행 가고 싶은 마음이 덜 일어나는 것도 사실이다. 전에는 귀국하는 비행기 안에서 다음 여행지를 궁리할 정도로 여행 계획 세우기 좋아하고 또 제법 다니기도 했는데, 최근에는 여행에 관한 생각을 거의 안 하고 지낸다. 어쩌다 지금 살고 있는 함양 밖을 멀리 나설 때도 여러 가지 일들을 함께 묶어 나가거나, 그리 멀지 않은 곳으로 잠깐 나들이 다녀오는 것만으로도 충분하게 느껴진다. 어떤 계기로 여행에 대한 욕구가 덜 해졌을까? 단지 가지절임을 만들고 있었을 뿐인데 갑자기 성찰의 시간을 갖게 하다니, "시칠리아"는 이래저래 기가 센 동네인가 보다.

퇴직하기 3년여 전 갑자기 티베트에 다녀왔다. 당시 몸이며 마음이 복잡한 상황이라 '티베트'에 가면 어떤 깨달음을 얻어 번잡한 마음이 좀 가라앉지 않을까 하는 기대가 있었고, 심신이 지친 상태에서 누가 인솔해 주는 여행에 편하게 따라가고 마음도 컸던 것 같다. 자유 여행과 달리 긴장이 적어서였는지, 여행 중반쯤 첫 배낭여행부터 꽤 오랫동안 함께한 여행 모자를 잃어버렸다. 그리고 그때 문득 "여행은 인제 그만 다녀도 되겠다"라는 생각이 들었다. 모자는 다음 날 다시 찾았지만, 한 번 든 생각은 꽤 깊이 남아 여행 귀국길에 함께했다. 여행 말고 딱히 이렇다 할 취미나 호기심이 없던 나로서는 나름 거창한 다짐을 안고 돌아온 편이었는데, 얼마 지나지 않아 코로나로 모든 사람이 집 안에 갇히게 되면서 좀 매가리가 없게 되긴 했다. 다만 "인제 그만 다녀도 되겠다"라는 다짐은 여행이 아닌 직장에서 발현되어 꽤 가벼운 마음으로 사표를 제출할 수 있었다. 이 무렵 즈음이었을까? 어렴풋이 함양으로 귀촌을 생각하고 있을 때였는데 친구가 타로점을 보고는 깜짝 놀란 얼굴로 "너무 잘 살 거 같다"라는 말은 전해주었다. 재미로 본 타로점이었지만, 내심 도대체 시골에서 어떤 일이 생길지 새로운 형태의 호기심이 스멀스멀 올라왔다.

귀촌하면 먼저 떠오르는 이미지가 있다. 햇살 좋은 아침에 넓은 정원을 바라보며 느긋하게 커피 마시기. 하지만 함양 읍내 아파트에 거주지를 마련하고 내려온 내겐 그런 로망은 애초부터 없었다. 도시 생활의 습관을 선뜻 벗어낼 수 있을지 은근히 걱정되기도 했고, 연로하신 부모님과 함께 온 터라 병원 가까이 살아야 한다고 생각했기 때문이다. 이사한 초기 도시와

다를 바 없는 아파트에 살면서 카트를 끌며 장을 볼 때만 해도 이렇게 다채로운 감정을 느끼며 지내게 될 것이라고는 전혀 생각하지 못했다.

함양에 내려올 때 미리 염두에 둔 귀농 귀촌자를 위한 교육프로그램을 받으면서 교육의 하나로 작은 텃밭도 시작하게 되었는데, 초심자의 행운 덕인지 처음 해보는 농사(?)일이 기대 이상이다. 화분 하나도 제대로 키워보지도 못하다가 루꼴라와 상추 첫 잎을 따고 아까워서 차마 먹지 못하고 한참을 바라보던 순간, 하루가 다르게 쑥쑥 자라는 텃밭 채소들에 마냥 뿌듯해지던 마음, 토마토 줄기 사이에서 퍼지는 싱그러운 향기는 전혀 예상하지 못했던 순수한 기쁨을 만나게 해주었다. 게다가 내가 직접 키운 재료가 상에 올라가다니. 마치 식탁 한 모퉁이에 텃밭을 둔 것 같았다. 씨뿌리고 한참 지나도 싹이 나지 않아 괜스레 땅 위를 긁어 보기도 하면서 들었던 조마조마한 기다림 (결국 당근은 싹이 나지 않았다), 곁순을 쳐내거나 여린 싹을 솎아 내면서 단호함에 대해 생각해 보기도 하고, 한참 동안 일하다가 무념무상의 순간을 만났을 때의 깊은 울림을 느껴보기도 했다. 겨우 씨앗을 심고 물만 주었을 뿐인데, 이렇게나 끊임없이 내어 주는 땅에 진심으로 감사한 마음을 갖게 되었다. 그리고 무엇보다 농부들에게 저절로 존경의 마음이 들었다. 밭에서 꽤 힘들게 보낸 날이 몇 번 있었는데 몸이 힘든 만큼 마음이 오만 갈래로 요동치는 것을 다잡기가 무척 힘들었다.

이런저런 애환을 안고 일하실 농부들의 마음이 감히 짐작조차 되지 않는 날이었다. 티베트 여행 중에 '티베트 사람들은 산을 닮은 것 같다.'라는 말한 적이 있다. 지리산을 품고 있는 함양 사람들은 어떤 모습일까? 앞으로의 날들에 묵직한 기대가 들었다.

텃밭 말고 함양에 오면서 잘했다고 생각되는 일 중 하나는 요가원에 등록한 일이다. 함양에 온 지 얼마 되지 않아 이리저리 마을을 산책하다가 "운동이나 한 번 해볼까?"하는 가벼운 마음으로 다니기 시작했는데, 지금 내가 함양에서 사람들과의 관계를 맺고 넓혀나가는 데 요가원이 구심점이 되었다. 등록하고 며칠 되지 않았을 때였다. 수련을 마치고 옷을 갈아입는 곳에 배추가 한가득 놓여 있었는데, 같이 수련하는 분 중 한 분이 직접 키우신 거라고 필요한 만큼 가져가라고 했다. 나눔이라는 것이 이렇게 자연스럽게 된다고 하는 기분 좋은 놀라움을 느꼈다. 그날 이후부터 함양에서 만나는 사람들에게 경계를 풀고 마음을 내는 걸 조금씩 배우기 시작했던 것 같다. 그리고 낯선 사람에게도 부드럽게 인사해 주시는 분들이 많아서 마음 내기가 더욱 쉬웠던 것 같기도 하다. 나도 모르게 예전보다 웃는 얼굴이 많아졌고, 그즈음에 가까운 친척분에게서 얼굴색이 많이 맑아졌다는 말씀도 들었다. 요가원을 통한 기분 좋은 만남은 계속 확장되어, '쉬미수미'-함양에 사는 사람들이 생활 속에서 문화 예술을 같이 즐기는 모임-를 알게 되고 이런저런 일(놀이 혹은 문화생활)을 함께하면서, 다른 사람들과 더불어 즐기는 기쁨을 한껏 느끼고 있다. 친한 친구도 많지 않고 딱히 타인과의 교류의 필요성을 잘 느끼지 못하면서 살다가, 마음 가는 대로 나누고 또 스스럼없이 받는 것이 얼마나 가슴 따뜻해지는 것인지 배우는 중이다. 얼마 전에는 후쿠시마 오염수 방류에 대한 강연을 듣고 뒤풀이에 참석했는데, 진심이 담긴 목소리로 어떤 사람은 노래를 어떤 사람은 시를 낭독하는 모습에 왜 가슴이 그리 뭉클해지던지. 작은 소리로 "이렇게 사는 거 참 좋다."라고 할 뻔했다.

다시 시칠리아식 가지절임으로 돌아가자면, 요가원에 가지절임을 가져가서 수련을 마치고 내놓았다. 맛있다고 하며, 시끌벅적하게 비결을 공유하고 또 누군가에게서 무말랭이를 가져오마하고 약속도 받았다. 친구가 보았던 타로점이 이런 것을 얘기하는가 하는 생각이 든다. 물론 함양에 살면서 실망스러운 일도 몇 번 있고 전처럼 마음을 닫아 버리는 때도 있지만, 확실히 예전보다 표정이 다양해지고 밝아진 것은 분명하다. 아직 얼마 되지 않아 마냥 좋게만 보는 걸까 하는 마음이 들 때는, 함양으로 온 지 10년 혹은 20년이 넘은 사람들을 보면서 쓸데없는 생각을 날려 보내면 된다. 나름의 속사정들이야 있겠지만 쉽게 지쳐 보이지 않고 편안하게 웃는 모습들을 볼 때면 내심 앞으로의 날들도 분명 좋을 거라는 믿음이 든다.

김혜경

'모우나'라는 티 하우스를 운영하고 있다.
나는 그 침묵(모우나)이 좋다.

함양에서 기쁨을 느낄 때

하루에도 무수히 많은 감정이 오고 간다. 기쁨도 슬픔도 그저 찰나.

많은 이들이 내게 건네는 물음이 있다.

함양은 어떻게 오셨나요? 그래서 행복한가요?

네 저는 도시에서 이런 일 저런 일을 했었고요. 함양은 이렇게 저렇게 해서 오게 되었습니다. 구구절절이 그들이 원하는 대답을 해본다. 아니 어쩌면 내가 하고 싶은 말 도돌이표 같은 대화의 패턴이 반복된다.

나는 성실하고 솔직하게 대답의 의무를 다하고 있는가?

아 이제는 뭔가 싫증이 나. 질문을 하는 사람들은 내게 처음으로 건네는 물음일 테지만 나는 평생 들어본 질문 중에 가장 많이 하게 되는 똑같은 대답이 되었다.

가만가만. 생각을 해본다. 물리고 진부하고 고무적인 나의 대답에 갈증이 나기 시작했다. 치열하게 살지 않기 위해 흘러온 함양이지만 난 어느새 또 다른 치열함을 달리고 있었다.

공간 이동을 한 것처럼 결이 다른 치열함이 존재 한다. 새로운 환경과 지역에서 뿌리내리기 위함이라며 스스로 자위해 보지만 켜켜이 쌓여 가는 피로감들은 금세 탄로 나기 시작한다.

한 없이 기쁘기도 했었고 때로 깊은 굴속으로 들어가 버리고 싶은 번 아웃이 오기도 했다. 그럼에도 결코 이곳에 온 결정에 대해 조금의 후회도 해본 적은 없었던 것 같다. 오히려 모든 순간에서 늘 감사했다 어떤 깊은 뜻과 인연이 있다고 여겼다.

함양에 터를 잡고 살기 시작하면서 자주 하게 되는 말이 있는데 '아 좋다.' '정말 좋다'라는 감탄사이다. 특히 맛있는 것을 먹게 되었을 때 자주 내뱉는 말이긴 하지만 분명 나는 함양에 감탄하고 있다.

처음 이사를 했던 날이 생각이 난다. 함양 농업 기술 지원센터 귀농·귀촌 체류형 과정에 뒤늦게 합격 소식을 접하고 일주일 만에 부랴부랴 이삿짐을 꾸리고 이사 당일 빈 차로 지방에 내려가는 1.5톤 화물차를 잡고 25만 원짜리 이사를 감행했었다.

트럭에 1차 짐을 보내고 보따리 짐으로 가득 찬 승용차에 간신히 몸을 구겨 넣고 내려오면서 장거리임에도 불구하고 불편함보다 설렘에 행복한 몸서리를 쳤던 여정이었다.

겨울이 물러나지 않은 2월의 꽃샘추위에도 자동차 창문 밖에서 들어오는 햇살은 굉장히 따뜻했던 날. 우리는 그렇게 함양에 첫발을 내딛고 이삿짐에 하나둘 새로운 자리를 만들어 주었다. 그저 좋았던 것 같다 그날의 여운이 아직도 마음에 진하게 남아있다.

다시는 느껴보기 힘든 감동의 순간이 될 것이다. 생각해 보면 그리 먼 이야기도 아닌데, 감동은 여전하지만 까마득하게 느껴진다. 참 좋았다.

어렸을 적 나는 바닷가 시골 마을에서 자랐다. 성장하면서 도시 생활하게 되었고 시골에 대한 애착과 그리움을 품고 살면서 내가 나이를 먹고 40살이 되기 전에는 꼭 시골에서 살 거야라고 다짐하곤 했다. 결국 나는 그 꿈을 이루었다.

뜻하는 대로 잘 먹고 잘사는 나는 결국 또 하나의 그리던 꿈을 지리산이 있는 함양이라는 곳에서 마주하며 살아가고 있다.

보통의 사람들은 시골살이라고 하면 유유자적 흘러가는 구름과 강을 보며 편안한 삶을 상상하곤 하는데(물론 나도 조금은 그런 상상을 했다) 각자의 환경과 주어진 조건에 따라 다른 일상이 펼쳐진다. 영화 같은 곳에서나 볼법한 낭만이 서려 있는 아름다운 순간만 있는 시골의 삶은 자칫 망상이 될 수도 있다.

흔히 로얄층이라고 말하는 19층 조망이 있는 아파트에서 살았을 적에는 옆집에 누가 살았는지 몰랐다 그저 뜨는 해 보며 아침에 나오고 석양을 보면서 귀가하는 하루의 흐름이었다.

일찍이 독립된 생활을 했던 나는 개인주의 성향이 강했는데 필요한 사람들과 필요한 대화들만 이루어졌고 친구들 관계도 그러했다. 불필요한 관계 불필요한 대화들을 멀리했다. 그랬던 시골 조용한 삶을 갈망했던 내 생각은 산산조각이 나긴 했다. 굉장히 외향적이고 명랑할 것 같지만 나는 사실 아주 소극적이고 내성적인 사람이다. 많은 사람이 오해하기도 한다.

함양에 오고 나서 나는 조금씩 변하고 있다. 아이러니하게 세상은 참 공평하단 말을 또 실감하고 있는데 나의 부족했던 점은 또 보완되고 내가 늘 자신 했던 부분은 아쉽게 변해버렸다. 돌고 도는 재밌는 순간들이다. 나의 변화를 스스로 관찰하는 재미가 즐겁다.

혼자였던 익숙한 삶을 벗어나 새로운 일상들을 찾아가고 있다. 내가 디디는 땅이 달라졌고 올려다보는 하늘이 달라졌다가 모든 환경이 바뀌면서 당연한 듯 나에게도 변화란 게 생기는 모양이다.

요즘은 인사하는게 즐겁다. 누구를 만나던 길가에서 만나면 반갑고 나를 보지 못하고 지나가는 분에게도 크게 인사를 하곤 한다. 냉정했던 성격에서 더욱 깊은 감성 소녀가 돼버린 것 같다. 참 재밌는 일이다.

울기도 하고 웃기도 하고. 마구 달리기도 하고 멈추기도 하면서. 나의 함양 생활은 그렇게 흘러가고 있다. 솔직히 언제까지 적응 기간이 될지는 모르겠다. 새로운 기쁨에 대한 적응이 필요하다.

낯선 감정들 사이에 낯선 감정들과 너울거리는 모든 감정 앞에서 또 하루를 배워 나가고 있다.

먼 훗날에 나는 여전히 이곳에 있을까?

릴라 (산스크리트어 лила)

요가 수련실을 갖춘 객실 두 개의
소박한 농어촌 민박을 등록했다.
아침이면 텃밭에서 나온 갖은 푸성귀들로
샐러드를 만들고 계절과 날씨에 따라
게스트들의 나이에 어울리는 수프를 끓인다.
그렇게 산다. 소망하던 삶이라.

빙글빙글 춤추리

　가끔은 아주 가끔은, 그대들이 누리는 밤거리의 네온사인과 희미한 조명등이 그리울 때가 있다. 밤낮없이 헐떡거리는 도시 한구석 숨 막힌 공간의 희뿌연 미세먼지도 실컷 들여 마시고 싶을 때가 있다.

　내가 사는 곳은 함양하고도 북쪽 골짜기, 백운산 자락 해발 500고지의 대방마을이다. 우리나라 곳곳에 '백운산'이라 명명된 이십여 곳 중, 가장 높은 해발 1,279고지인 함양 백운산은 이웃한 덕유산과 지리산에 가려져 함양인에게 마저 외면당하고 있다. 2021년 1월 11일 한낮에 난생처음, 이 동네를 방문했다. 우연과 우연이 겹쳐 정말 우연하게도 읍에서부터 천천히 산책하듯 들어선 길, 친구 소개로 처음 만나 두근두근 마음을 뺏겨버린 스무 살 첫사랑과 마주할 때처럼, 내 심장은 뛰고 있었다. 읍 구도로에서부터 시작된 벚나무 가로수길은 백전면 대방마을까지 펼쳐졌는데, 그 길이가 오십 리라 했다.
　한겨울이라 옷을 벗어 앙상한 나목들이 내게 말을 걸어왔다. '드디어 왔구나, 네가 발을 붙일 땅에' 정말 그랬다. 88올림

픽 개막에 앞서 서둘러 착공해 이제는 폐로가 되어버린 어설펐던 합천 간 2차선 고속도로 아랫동네인 물나드리를 들어설 때부터 콩닥거리던 가슴은 새하얗게 눈 덮인 백운산을 마주하는 순간, 쿵쾅쿵쾅 벌렁거렸다. 드디어 내 꿈을 펼칠 곳을 찾았다.

내게는 오래된 꿈이 있었다. 서른이 되면서 시작한 명상과 마음공부는 마흔이 되기 전 나를 인도로 이끌었다. 남인도의 중심도시인 벵갈루루, 해발 920고지에 자리 잡고 있어 봄과 가을만 느껴지는 지역이었는데, 식민지 시절 영국군의 휴양지로 개발돼 공원과 호수가 잘 조성된 곳이다. 사전에 충분한 정보도 없이 무작정 초등학교 5학년, 2학년 두 아이를 데리고 가 꼬박 4년을 살았다. 인도인들의 순박한 눈동자가 좋았고, 속 보이는 흰한 거짓말도 재미있었다. 소가 많으리라는 막연한 예상을 깨뜨리고 온 동네엔 버려진 개들이 널브러져 있었고, 거리 곳곳마다 사람들이 그렇게 많을 수가 없었다. 출생신고나 ID카드 등의 시스템이 제대로 갖추어지지 않아 아직도 정확한 인구를 집계할 수 없다 하니, 그저 엄청나게 사람이 많더라는.

2008년 1월 벵갈루루 외곽의 요가학교에 입교했다.

그리고 VYASA(Vivekananda Univ.)에서 YIC(요가지도자) 과정을 거쳐 2009년 7월, PGDYT(Post Graduate Diploma in Yoga Therapy) 1년간의 요가테라피 과정을 마쳤다. 집중 명상이 첫 번째 목적이었던 만큼 여행지에 가면 늘 가까운 아쉬람을 찾아 잠깐씩 혹은 며칠씩 머무르곤 했다. 아쉬람은 요가와 명상을 위한 수행처라 일컫는 곳으로 기도하는 뿌자룸, 명상룸, 식사하는 공간, 침실 그리고 산책이나 공연 등을 할 수 있는 야외 공간이 있다. 수백 명이 모일 수 있는 광활한 대지가 펼쳐지는 곳이 있는가 하면 열 명 정도 기거할 수 있는 소규모도 있다. 새벽 동이 틀 때면 야외에 매트를 깔고 요가의 '태양 경배' 동작인 '수리야 나마스까라'를 8회 반복하고 명상룸에 둘러앉아 만트라 챈팅을 노래하며 깊은 명상 후에 아침 식사와 함께 하루를 시작한다. 머얼건 유동식이건, 밀가루빵, 혹은 축축한 국물 커리건 간에 오른손으로 먹어야 한다. 왼손은 화장실에서 사용되니까. 갖은 향신료는 역했고 수저 없이 먹는다는 건 불편하고 여간 어색한 게 아니었다. 그러나 커리큘럼 규정대로 학교 기숙사 생활을 하면서 점점 익숙해져 다음날의 식단을 기대하게 되고 양동이에 담긴 국물 커리를 한 국자 더 덜어 먹을 수도 있게 되었다. 나는 원숭이와 함께 어우러져 사는 사바나에 점점 익숙해졌다.

한국에 돌아가면 '반드시 숲으로 들어가 작은 아쉬람을 만들어 사람들과 모여 요가와 명상을 함께 하고 밥도 나누고 별이 총총한 밤엔 빙글빙글 춤도 추리라' 하는 꿈이 생겼다. 내 나이 마흔하고도 몇 살이 더한 때에.

지금 나는 숲에서 산다. 도로명도 무척 마음에 드는 '백운산길', 산길 중턱에 집을 지었다. 볕이 좋고 바람 잘 드나드는 땅에 집을 짓고 두 해를 넘겨 살고 있다. 2021년 시월에 입주해 첫겨울에 만난 숲속의 밤과 낮은 극적이었다. 한낮 햇살엔 돗자리를 깔고 드러누워 한참을 태양과 마주했고, 내다 말린 이불은 깊은 산속 스치는 바람과 볕 내음을 안고 뽀송뽀송한 감촉으로 다가왔다. 흙빛 하늘에 총총히 박힌 별은 눈부시게 아름다웠으며, 달빛이 교교한 밤하늘은 금세 나를 데리고 올라갈 듯 유혹했고, 새벽녘 저무는 만월은 또 어떤가? 건넛마을 한 집 건너 하나씩 밝혀지는 가로등마저도 동화 속 불빛같이 다가왔으니, 점점 숲속 집에 중독되었다.

첫눈 예보가 있던 날, 마을에서 수확한 고구마 한 박스를 사들여 집에 와 있던 후배와 장작불 지펴 잔불에 구워 먹으며 소녀같이 깔깔대며 목 빼고 기다리다가, 한밤중 소리 없이 찾아드는 눈송이를 보자 잠옷 바람으로 환호하며, 집 언덕배기 위 가로등 아래서 하늘을 향해 두 팔 벌려 서걱대는 눈을 받아 먹었다. 마치 오래된 필름의 한 장면처럼.

고독하고 뼛속까지 시린 추위가 지나 찾아든 새봄엔 곡괭이와 삽으로 언 땅을 파서 어린나무, 화초류와 야생화를 심으며 마당을 가꾸었다. 입주하고 몇 달을 지내면서 마을 사람들과 마주치면 무조건 고개 숙여 새로 이사 온 사람이라 소개해 드리며 인사했다. 다들 '새댁'이라 불러주셨다. 벤저민 버턴의 시간이 내게도 시작됐다. 어여쁜 젊은 사람이 와서 반갑다며 불러 세우시고 말을 건네시는 어르신도 계셨고, 차도 한두 번 얻어 마시게 되어 제법 가깝게 지내는 이웃도 생겼는데 기척 없이 오셔서 두릅을 한가득 주고 가신다. 취나물이나 머위 이파리 구분도 못 하는 귀촌 초임자를 데리고 동네 성님들은 야트막한 산길을 앞서 걸으며 살캉살캉 이파리만 뜯어라 일러주신다. 고사리는 갈색인 줄로만 알았는데, 그건 삶고 말려 묵나물로 만들어 그런 거라며 연둣빛 생고사리밭으로 데려가서 톡톡 끊는 법도 알려 주신다. 생초보 산골 새댁은 포댓자루 하나 끌며 온종일 동네 성님 발뒤꿈치 따라다녀 뾰족뾰족 올라오는 산나물을 캐서 쌈으로도 나물 반찬을 만들어 먹기도 하고 데쳐 볕에 말려 저장하기도 한다. 감자밭도 일구고 늦봄에 가을까지 먹을 텃밭 채소 모종을 심고 여름엔 매일 같이 풀을 맨다. 새벽 여섯 시면 밭에 나가 10시쯤 오전 일을 마치고, 한낮의 열기를 피해 다시 세 시 반에 오후 일을 시작해 어스름 해가 기울기 직전까지 호미질한다. 나의 워킹 타임은 도시의 샐러리맨과 같이 하루 여덟 시간이다. 다만 사무실 책상의 컴퓨터 앞이 아니라 지렁이, 장수풍뎅이, 꿀벌, 나비, 개구리, 잠자리, 실뱀, 모기들과 함께하는 흙 위에서.

작년에 먹던 옥수수 알 몇 개를 남겼다가 땅에 묻었더니, 싹이 나고 대가 점점 굵어져 어른 키를 훌쩍 뛰어넘을 만큼 자라, 마침내는 알이 꽉 찬 옥수수를 생산했다. 모든 텃밭 작물은 매일매일 신비한 체험으로 다가와 감탄사를 연발하게 했다. 내

손으로 일군 땅에서 수확한 작물들로 한 끼 밥상을 차릴 수 있다니! 물론 감자는 굵지 않았고, 직박구리로부터 시작된 공격에서 블루베리는 제대로 여물기도 전에 열매는 죄다 사라지고, 옥수수도 곤충의 공격을 받아 군데군데 성하지 않았지만, 수확물 쟁여두는 창고에 드나들 때면 콧노래가 절로 나왔다. 복숭아, 매실, 사과, 체리, 배, 감, 밤, 호두, 모과, 대추, 석류, 음나무, 벌나무, 오디 등 유실수를 종류별로 두세 그루씩 심고 좁다란 오솔길을 상상하며 백여 그루 자작나무를 심었다. 오로지 삽과 괭이만으로. 그야말로 2년 동안 부단히 삽질해 마침내 농업경영체 등록을 마친 의젓한 농업인이 되었다.

달이 빛을 잃은 그믐 무렵엔 별바라기 하느라 밤새 마당을 서성이고, 초가을엔 온 집안의 불을 꺼두고 테라스에 앉아 반딧불이 춤사위를 구경한다. 딱따구리 소리를 쫓아 잠시 일을 내려놓기도 하고, 꽃모종을 심느라 호미로 판 땅에서 겨울잠에 취해 눈 못 뜬 참개구리가 보이면 얼른 다시 묻어둔다. 꽃이 많아지니 벌은 수시로 내 곁을 날고 가끔 마당까지 올라온 뱀을 목격하기도 한다. 자연과 함께하는 삶은 지루할 새 없이 무척 분주하지만, 한구석 허기를 느낄 때가 있다. 혼자 고요히 책을 보는 것도 좋지만 함께 토론하고, 순간마다 달라지는 눈앞의 풍광을 글로 옮겨 적고 그림으로 표현하고, 악기로 연주하고 싶을 때가 있다. 산골로 귀촌을 결심할 때는 이런 다양한 문화생활을 포기했지만, 나는 지금 함께 모여 글을 쓰고 영화를 보고 미술관을 찾고 토론하며, 일상을 펜과 물감으로 그리고 첼로를 배우며 쇼스타코비치를 연주한다. 지리산 마고 할머니의 너른 품 안에서.

바람이 분다. 몹시도 거칠고 분주하게. 간신히 찾아온 가을을 기어이 보내버리고 말겠다는 듯 겨울이 한 발짝 성큼 다가왔다. 장작도 쪼개 차곡차곡 재어둬야 하고, 지하수도 얼지 않게 보온재를 덮고 물탱크도 깨끗하게 청소해야 한다. 뜰 아래 무성히 달린 작고 떫은 감도 장대로 따서 씻고 깎아 적당한 햇살과 바람에 곶감으로 말려야 한다. 산골짝 작은 집을 찾는 사랑방 손님을 위해 부지런히 겨울 채비를 해야 한다. 꿈이 이루어졌으므로.

'리틀 아쉬람'

요가 수련실을 갖춘 객실 두 개의 소박한 농어촌 민박을 등록해, 아침이면 텃밭에서 나온 갖은 푸성귀들로 샐러드를 만들고 계절과 날씨, 연령대에 따라 어울리는 수프를 끓인다. 마을에서 나온 오미자로 청을 만들어 게스트들과 나누기도 하고, 요가를 함께 하며 각자의 인생을 얘기한다. 대부분 함양이 처음이라 한다. 그저 우리 집의 풍경이 궁금해서 찾아왔다고 말한다. 20~30대 게스트들은 그들 청춘의 무대에 나를 세우기도 하고, 이제 막 청년에서 벗어난 40대는 신중년의 난감함에 대해 토로하고, 동년배나 인생 선배님들은 따뜻한 눈빛으로 격려해 주신다. 감사한 인연이다. 어쩌다 클릭해서 찾아온 게 아니라, 어쩌면 저 어느 별에서 이미 만났던 적 있었던 그것처럼 다정하고 살갑기만 하다. 게스트도 호스트도 지리산 봉우리와 마주하는 숲속에서 함양을 노래하며 대책 없이 함양에 취해버린다.

함양은 내게도 당신에게도 무작정 말을 걸며 곁을 내주는 따스한 볕이다.

2023. 09. 용기내미
Leeta

강가(산스크리트어 गङ्गा)

모두가 안전하고 편안하기를,
요가 안내자의 길로 나를 이끈 시간과
모든 인연에
머리 숙이며.

묏골 이야기, 이곳은 그런 곳이야

새벽이 꽤 싸늘하더니 얼음이 얼었어. 잔디 위에 반짝이는 것은 밤새 서리가 내린 까닭이야. 며칠 사이 감나무 벚나무 모과나무 죄다 잎을 떨구었지. 바람에도 가지를 놓지 않은 감 몇 모과 몇 아침 해를 받아 색이 더욱 또렷해지는 즈음이야. 가을이 가고 겨울이 시작되는 거지. 겨울 이야기를 듣고 싶다고?

이곳에 살며 맞이하는 열세 번째 겨울이네. 묏골의 겨울을 말하라면 처음은 공기야. 방을 나서면 온몸으로 와락 달려드는 차고 서늘한 맑음이지. 사방으로 둘러선 산에서 보내온 신선함, 나무들의 숨일 거야. 온몸을 꽁꽁 싸매고 움직여야 하는 추위지만 숨 쉬는 일은 한순간도 쉬지 못하는 일이잖아. 깊은숨 쉬러, 맑고 서늘한 공기를 만나러 그냥 한걸음 마당으로 나서는 거지. 코로 숨이 들어가고 나오는 경험으로부터 온몸으로 숨을 쉬고 있다는 느낌이 들어. 얼음 뜬 찬물을 끼얹어 주는 듯이 정수리로 숨이 들어와. 이마를 '탁' 치며 숨이 느껴지고 얼굴로 온몸으로 손가락 사이로 숨이 들지. 간혹 명상 수업에서 그런 말을 들을 때가 있잖아. '들이쉴 때 맑고 깨끗한 기운을 들이쉰다고 상상하고 내쉴 때 내 안의 부정적이고 어두운 것을 모두 뱉어낸다고 상상하십시오.' 근데, 상상할 필요 없이 이곳의 겨울 숨쉬기가 똑 그래.

다음으로 이곳의 겨울에 눈 이야기를 빼놓을 수 없어. 폭설이 내려 읍내로 가는, 사람들로 향하는 길이 종종 끊기고는 하지. 그 안전한 고립과 그리운 침묵을 어떻게 표현하면 좋을까. 오는 이도 가는 이도 없는 적막, 그 고요함을 흔드는 것이 다른 무엇도 아닌 새소리 바람 소리라니. 마을 앞까지만 더듬더듬 걸어 나가면 길은 어디로나 열렸을 테지만 지금은 그저 웅크린 채 동굴 속으로 들어도 괜찮을 때야. 해야 하는 일에, 인사가 필요한 너에게, 이거 하자 저거 하자 부추기는 나에게 해줄 답이 생긴 거지. '지금은 멈추어야 해. 눈이 왔잖아. 폭설이 내려 세상으로 향하는 모든 길이 끊겨 버렸어.' 누군가가 나를 붙잡아 주기를, 무언가가 지금을 가로막아 주기를, 그만 여기서 멈추면 얼마나 좋을까 바라게 되는 날이 있어. 그런 마음이 점점 자라 어쩌지 못할 지경이 되기 전에 무언가를 하지. 여행을 떠나고, 가끔은 기도하고, 혹은 명상에 들고 자주 만취하는 거야. 이곳의 겨울은 그 모두를 해주는 거지. 길을 막고 시간을 끊어 고요 속에 가만 내버려 둬. 가두어졌으니, 어둠 속에 웅크리고 앉았으니 눈 녹기 전에 자리를 털고 일어날 수 있어. 방 닦을 힘이 새로 생긴 거지. 지나간 것은 지나간 대로 아직 오지 않은 것은 기대할 필요 없이 지금의 깜깜함을 마주하는 일, 그 일을 한 까닭이야. 빛은 늘 어둠 속에서 빛나니까. 묏골의 겨울에 일어나는 일이야. 겨울 전? 그야 당연히 가을이 있었지.

가을,

돌아와 보니 비워두었던 집 마당에 꽃이 만발이다. 떠나던 날 집 단도리를 하는데 마당가에 저절로 자란 코스모스 몇이 한두 송이 꽃을 피우고 있었다. 그동안 코스모스가 집주인 행세를 하고 있었던 모양인지 마당가며 아궁이 곁이며 저장고 문 앞이며 할 것 없이 맘껏 키를 키운 코스모스 천지다. 백일홍 천일홍 꽃밭은 물론이고 장미나무 곁에까지 세를 불려 다른 꽃들을 밀어붙여 놓고 활짝 피었다. 바람이 많이 불어온 날이 있었던지 제 키를 못 이겨 대부분이 자빠지고 엎어지고 고꾸라지고 쓰러졌다. 꽃대가 굵고 뿌리가 단단할 텐데 어찌 정리를 하나 들명날명 궁리한다. 그러다가 오늘 힘쓸 샘슨이 내려온 김에 손수레며 낫을 챙겨 마당으로 나선다. 꽃을 활짝 피우고 있는 꽃나무를 베거나 뽑는 일은 쉬운 일이 아니다. 그것이 풀꽃이어도 마찬가지다. 처음 몇 해 동안은 일단 꽃을 피운 풀은 뽑지 않는다는 나름의 원칙을 정하고 마당 정리를 하곤 했다. 샘슨도 난감한 모양이다. 이건 뽑아요. 말아요. 이건 남겨야 할까요? 계속 묻는다. 자빠진 대를 휘감아 올라서 있는 꽃대의 허리쯤에서 핀 분홍 나팔꽃이 아직 한창이다. 그늘 속에서 피어 그런지 노란빛이 더욱 여리고 순해 보이는 메리골드도 몇 무더기. 모과나무 아래에서부터 뻗어와 코스모스 곁에서 기울어 이제 막 피기 시작하는 미국쑥부쟁이, 까마중까지 초록으로 깜장으로 열매 다는 와중에 몇몇 하얗게 별 모양 꽃을 내밀었다. 어쩌자고 여뀌가 연못가를 버리고 여기까지 와서 무더기로 핀단 말인지. 주름잎도 바닥 자갈 틈에 얼굴을 내밀고 있다. 이건 남기고 이건 뽑고 여긴 상하지 않도록 조심하고… 그러다가 모두 뽑는다. 서로 얽히고설키어 있어 어차피 분류가 소용없는 지경이다. 모두 사라진 자리가 말끔하다. 지금 말하는 말끔하다는 말은 서운하다는 말과 닮았다. 모르는 사이 부풀고 자라서 모두 뽑지 않고서는 어찌할 수 없는 지경이 있을 테지. 서운함 정도를 댓가로 말끔해질 수 있는 일은 얼마나 될까. 코스모스 무너진 자리를 정리하다 생각을 쌓는다. 그리고 놓는다.

어때? 이번 가을에 써 둔 글이야. 이곳의 가을이 그려지니? 저렇게 코스모스며 백일홍 금잔화가 마음을 살필 오후를 주고 떠나면 여기저기 뿌린 적도 없는 산국이며 보살핀 적도 없는 쑥부쟁이가 마구 피어나. 노랗고 빨갛게 감이 익고 모과가 익고 단풍이 들지. 아름다워. 그러나 뭐래도 가을풍경 일 번은 해 드는 곳에 널어놓은 타작한 벼야. 추수를 마치고 정미를 하고 흰 쌀밥을 상에 올리는 때가 가을이잖아. 쌀값이 허무하게 보잘것없어 한숨이 나오지만, 주식을 직접 자급한다는 일은 얼마나 대견하고 놀라운 사건인지 몰라. 흘린 땀과 들인 비용에 비해 턱없이 낮은 보상은 농민들의 한숨을 더 깊게 만들어. 직업을 묻는 난에 당당하게 농업인이라고 적지 못하는 나는 그래서 조금은 가볍게 추수의 기쁨을 누리는 거지. 주식 농사가 귀하게 대접받아 농민들 누구나 수확의 행복감에 젖는 그런 가을날을 꿈꿔.

여름은 온통 초록 이야기지. 무럭무럭 놀랍도록 용감하게 잘 자라는 이 땅의 온갖 풀과 그런 풀들과 이기지 못할 경기를 벌이는 무모한 나와 나의 얼굴을 물고 쏘고 찌르는 벌레들 이야기가 여름에 이어질 거야. 봄? 봄 이야기는 좀 슬플 거야. 이 집의 첫 고양이, 우르술라를 닮은 사티가 등장해야 하거든. 그가 낳은 새끼와 새끼의 새끼와 그 새끼들 이야기도 있어야 하고. 허리가 기역자로 굽어 손모를 내는 아래 논 할아버지가 시옷으로 서서히 변해가던 세월도 봄에 빠지면 안 되는 이야기지. 녹았던 땅을 파 씨를 뿌린다고 얼마나 많은 생명의 죽음을 목격하고 자행하게 되는지도. 아, 봄에는 새들도 꼭 불러내야 해. 얼마나 다채로운 작사·작곡의 노래가 등장하는지. 홀딱 벗고, 거기 뭐해요, 쏙쏙국쏙꾹... 이곳의 봄은 쇠약함과 죽음이 감춰지지 않고 경이롭게 그 모습을 드러내는 일로 하루가 가지. 그러나 또 생명이 얼마나 힘차게 삶을 껴안는지도 알게 돼.

인제 그만 이야기를 마쳐야 하겠어. 분량을 모두 채워버렸거든.
다음 이야기는 그래서 힘센 여름과 슬프지만 놀라운 봄 이야기
야. 그때까지 안녕.

이 점 수

함양이라는 공간에서 함께하는 사람들이 좋다.
함양이
더욱 아름답고 행복한 곳이 될 수 있도록
어떠한 몸짓이라도 해야지, 하면서 산다.

내가 몸담고 있는, 이곳 함양

　메타버스, 게더타운, 챗GPT, AI 등 매일 새로 쏟아지는 단어들로 머리가 어지러울 지경이다. AI를 비서로 두면 글도 알아서 써주고 그림도 음악도 나를 대신해 만들어 준다고 하니 귀가 솔깃해진다. 정보에 발 빠른 사람들은 이미 챗GPT를 통해 빅데이터의 세계를 마음껏 유영하며 가상 세계 속에서 푹 빠져 새로운 삶을 즐기는 듯하다. 그러나 나는 어쩔 수 없는 몸의 존재이다. 꿈에서 깨어 내 몸을 꼬집어 아픔을 느끼듯 가상의 세계가 아무리 휘황찬란하게 좋더라도 결국 몸으로 회귀한다. 배가 고프면 밥을 먹어야 하고, 아프면 병원에도 가야 한다. 그리고 사람을 만나 서로 부대끼며 싸우기도 협력하기도 해야 한다. 그렇기에 가상 세계 못지않게 내가 몸담은 이곳, 현실 속의 공간, 시간, 사람 등이 소중하다. 어쩌면 한쪽으로 너무 지나치게 치우치지 않도록 소외되고 있는 몸의 세계에 더 많은 관심을 기울이고 돌봐야 할 것이다.

　내가 사는 곳은 상림 언저리에 있는 대대마을이다. 아침저녁으로 산책 삼아 아내와 함께 상림 숲에 나갈 때가 많다. 최근 들어 맨발로 숲을 거니는 사람이 부쩍 많아졌다. 나도 사람들을 따라 신발과 양말을 벗고 그들의 뒤를 따라 걸어본다. 아무것도 걸치지 않은 발바닥으로부터 촉촉한 대지의 기운이 느껴진다. 살랑거리는 바람결과 나뭇잎 사이로 일렁이는 햇살이 나의 오감을 깨운다. 숲은 오랜 세월 동안 물, 바람, 햇살, 나무, 풀, 곤충 등 자연이 한데 어우러져 만들어낸 공간이다. 이 속에 있을 때 나의 몸은 고향에 온 듯 평온해진다. 내가 의식하지 않아도 스스로 틀어지고 상처가 난 몸을 바로잡아 준다.

요즘 다양한 센서로부터 수집한 데이터를 바탕으로 가상 세계 속에 실제 세계와 똑같은 '디지털 트윈(Digital Twin)'을 구축한다고 한다. 그곳에도 약수터가 있고 오솔길이 있어 가상의 인물들이 산책을 즐길 수 있다고 한다. 그러나 이러한 세계가 내가 직접 몸담은 이곳과 얼마나 가까울까? 내 몸이 숲속에서 느끼는 것을 그대로 느낄 수 있을까? 아니 의식이 알아채지 못하는 무의식적 체험을 충족할 수 있을까? 철학자 하이데거는 '장소는 인간 실존이 외부와 맺는 유대를 드러내는 동시에 인간 실재성의 깊이를 확인하는 방식으로 인간을 위치시킨다'라고, 말한다. 상림은 함양에 살고 있는 사람에게 둘도 없이 소중한 공간이다. 연인들이 손을 잡고 오손도손 사랑을 싹틔우고 가족들이 함께 놀던 추억의 공간이다. 나 역시 나무 사이로 둥그렇게 떠오른 달을 보며 사랑을 고백하였다. 함양에 살고 있는 사람이면 누구나 마음속 한켠에 상림에 대한 아련한 기억들이 존재할 것이다. 우리의 삶은 내가 발 딛고 있는 장소에서 만들어진 추억으로 층층이 쌓아 올린 작품이 아닐까?

우리가 몸으로 체험하는 장소는 가상의 세계에서 이미지로 접하는 지식과는 하늘과 땅 차이만큼 크다. 여행을 떠나기 전 인터넷을 검색하며 수많은 정보를 접하지만 직접 여행에서 경험하는 감동과는 비교가 되지 않는다. 직접 현장에서 몸으로 부대끼며 느꼈을 때 진정한 체험이 된다. 나는 초등학교 교사로 몇 년 전부터 방학이 되면 아이들과 함께 자전거를 타고 마을 구석구석을 탐방하는 프로젝트를 실시하고 있다. 학교 버스를 타고 집과 학교를 오가는 그 짧은 시간 속엔 마을에 대한 추억이 들어올 틈이 없다. 그저 차창 밖으로 스쳐 지나가는 한낱 풍경에 지나지 않는다. 자전거를 타고 땀방울을 뚝뚝 흘리며 오르막길을 오르고 시원하게 내리막길을 달리다 보면 저절로 마음의 문이 활짝 열린다. 마을보다 더 오랜 세월 동안 묵묵히 서 있는 정자나무의 그늘이 그렇게 고마울 수가 없다. 동네 어른들은 손자를 대하듯 환하게 웃는 얼굴로 마을에 깃든 이야기를 하나둘 들려주신다.

작년에는 4~6학년 아이들을 데리고 휴천면에 있는 20여 곳의 마을을 돌았다. 특히 용유담에서부터 엄천강을 끼고 내려오는 화산 12곡의 아름다움은 잊을 수가 없다. 화산은 엄천강 건너에서 지리산을 마주 보는 법화산에서 따온 이름으로 굽이 굽이 계곡마다 아름다운 풍경과 전설이 깃들어 있다. 아이들은 병풍처럼 큰 바위가 놓여 있는 병담이라는 곳에서 자전거를 세 워두고 시원하게 물놀이를 즐겼다. 자전거를 타고 한참을 달리 다 보면 함양과 산청의 경계 부근에 산청·함양사건 추모공원이 있다. 아름다운 풍경 뒤로 아직도 채 아물지 않은 지리산의 깊 은 상처가 있다는 사실을 그제야 알았다. 1951년 정월 초하루, 그날에 있었던 가슴 아픈 역사의 현장을 목격하고 아이들의 눈 엔 눈물이 고였다. 아이들은 그날의 아픈 이야기들을 하나둘 주워 모아 조그마한 그림책 '지리산의 눈물'을 만들었다. 그리 고 역사는 우리가 알아주지 않으면 서서히 잊힌다는 사실 또한 알게 되었다.

함양을 문화 예술의 도시로 만들기 위해 근 30여 년이 넘 도록 오직 한길을 흔들림 없이 걷는 사람이 있다. 함양 문화예 술회관에서는 매년 우리나라 최고 규모의 대한민국 학생 오케 스트라 페스티벌이 열린다. 전국 각지에서 음악을 하는 학생들 이 함양을 방문하여 상림 숲의 아름다움을 느끼며 음악을 연주 한다. 그분과 같이 활동할 때의 일화가 몇몇 생각이 난다. 함양 에서 악기를 연주하는 아이들을 모아 다볕 청소년관악단을 결 성하여 활동하던 어느 날 느닷없이 "우리, 아이들 데리고 제주국제관악제에 나갑시다"라고 선언하였다. 제주국제관악제는 우리나라뿐만 아니라 세계적인 연주단체들이 참여하는 수준 높은 페스티벌이다. 우리 아이들의 연주 실력은 차치하더라도 50명이 넘는 대군을 이끌고 여러 날을 제주에 머무는데 드는 경비를 어떻게 마련할 수 있을지 걱정이 앞섰다. 그러나 그의 말은 현실이 되었으며 천지연 폭포 야외 공연장에서의 연주는 잊을 수 없는 추억이 되었다. 제주에서의 마지막 날 그는 또다시 폭탄 발언을 하였다. "내년에는 아이들을 데리고 유럽 순회공연을 할 겁니다" 산 넘어 산이라더니 도대체 무얼 믿고 저런 배짱을 가질 수 있을까? 그러나 신기하게 그의 말은 모두 이루어졌으며 올해로 5번째 유럽 순회공연을 하였다. '소리와 함께 크는 아이들'이라는 희망을 품고 제주국제관악제 참여 이후 체코 프라하 드보르작홀, 루마니아 부카레스트 아테니움홀, 오스트리아 빈 하이든홀, 서울 예술의전당 등 음악 전공자들도 감히 서보기 힘든 유명한 무대에서 자랑스럽게 연주하였다. 조만간 100회 특별 연주회를 가질 예정이라고 하는데 한 사람의 꿈과 노력이 지역 사회에 이루어 낸 성과를 생각할 때마다 나는 그 경이로움에 박수를 보낸다. 뚜렷한 삶의 목표를 가지고 부지런히 몸으로 움직이다 보면 없던 길이 만들어지고 새로운 역사가 창조된다는 걸 가까이서 눈으로 확인할 수 있었다. 다별 유스 오케스트라 덕분에 큰아이들이 지금 연주가의 길을 걷고 있으니, 나에게 큰 선물을 준 분이기도 하다.

또 하나 함양이 자랑할 만한 일이 있는데 바로 어린이 연극이다. 연극하면 보통 이웃에 있는 거창이나 밀양을 생각하겠지만 어린이 연극의 역사는 함양이 무척 깊다. 내가 처음으로 발령받은 해가 1994년 9월인데 그 전부터 함양에 있는 몇몇 선생님들이 주축이 되어 아이들을 데리고 연극 만들기 활동을 하였다. 연극은 온몸을 사용하는 교육활동이다. 무엇보다 다른 사람과 서로 부대끼며 호흡해야 하는 관계 지향적인 활동이다. 한 편의 연극이 만들어지고 무대에 서고 나면 아이들의 모습이 눈에 띄게 달라진다. 연극은 아이들의 삶을 바꾸고 가꾸는 활동이다.

나는 어려서부터 무척 부끄러움이 많은 아이였다. 심지어 고등학교 다닐 때까지 다른 사람 앞에 서서 말 한마디 못 하는 숙맥이었다. 한번은 영어 선생님의 권유로 영어 말하기 대회에 나갔는데 그렇게 연습을 많이 해놓고는 정작 대회 당일 무대 위에서 단 한마디도 하지 못하고 그대로 내려오고 말았다. 그런데 인생은 참 재미있게도 나는 여러 사람 앞에서 말로 먹고 사는 선생이 되었다. 나는 사람 앞에서는 부끄러움과 두려움을 극복해 보고자 선뜻 교사들로 구성된 연극단체에 들어갔다. 그러나 타고난 성정은 쉽게 바뀌지 않는다. 십수 년이 지난 지금도 여전히 사람 앞에 서면 떨린다.

지금은 함양에 있는 초등학교 대부분에서 아이들을 위해 연극 교실을 운영한다. 그리고 전국에서 유일하게 함양교육지원청에 연극영재반이 만들어져 연극에 관심과 재능이 있는 아이들을 모아 연극을 보다 깊이 있게 접할 기회를 주고 있다. 작년부터 학교, 학년 구분 없이 함양에 거주하는 모든 학생을 대상으로 함양 어린이 심마니 극단을 꾸려 연극 작품을 만들어 공연하고 있다. 작년에는 '천령고개'라는 창작 뮤지컬을 선보였으며, 올해는 동요 뮤지컬인 '푸른 하늘 은하수'를 준비하고 있다. 그리고 올해 제27회째 경남 어린이 연극페스티벌이 우리가 살고 있는 이곳 함양에서 열린다. 이 모든 활동은 보이지 않는 곳에서 아이들의 교육과 삶을 위해 꾸준히 노력해 주신 선생님들이 있었기에 가능한 일이다. 아마 수년 뒤에는 영화나 TV에서 함양 출신의 배우를 보게 되지 않을까 살짝 기대해 본다.

오케스트라와 연극은 모두 소리와 몸짓으로 서로 소통하는 활동이다. 상대방의 소리에 귀 기울이며 내 소리가 너무 크지 않도록 조율하여야 아름다운 하모니를 만들 수 있다. 연극에서 가장 중요한 것은 반응이다. 상대방의 말과 행동에 적절하게 반응해 주어야 흐름이 깨지지 않고 분위기가 만들어진다. 흔히 요즘을 '솔로의 시대'라고 한다. 다른 사람들과 엮이기보다는 혼자만의 자유를 더 소중하게 여긴다. 그래서인지 결혼도 마다하고 행여 결혼하더라도 자식을 낳지 않으려고 한다. 타인과 함께 길을 가기 위해서는 나의 절반을 내려놓을 줄 알아야 한다. 내 생각만 고집하게 되면 다른 사람은 끌려가거나 튕겨 나가게 된다. 그래서 나는 둘이 하나가 되는 동행(同行)보다는 둘이 나란히 손잡고 가는 병행(竝行)을 더 좋아한다. 내가 몸담은 이곳 함양에는 나를 만들어 준 공간과 오랜 시간 교우하며 함께한 사람들이 있어 참 좋다. 나 역시 함양의 한 부분으로 함양이 더욱 아름답고 행복한 곳이 될 수 있도록 몸짓해야겠다.

쉼! 급한일 없으면 피하라!!

김정오

학생들을 가르치고 있다.
자연으로부터 넉넉하게 배울 수 있는
온전한 시간이 있는 삶으로
얼른 가고 싶다.

상림1

맨발의 숲

작년 겨울 맨발 걷기 연수를 다녀온 친구는 일 년에 두어 번 만나는 동기 모임에서 열렬한 전도사가 되어 맨발 걷기가 얼마나 좋은지 열변을 토했다. 신장 기능을 강화해 불면증을 없애고 몸속에 있는 정전기를 땅으로 흘려보낸다고 했다. 포항에 사는 그 친구를 다음날 찾아 갔다. 그냥 맨발로 걸으면 되는 거겠지만 그와 같이 걸어보고 싶었다. 가장 좋은 곳은 염분이 있는 모래밭이며 다음은 초등학교 운동장이라 했다. 햇볕이 충분히 내리쬐니 깨끗한데다 별다른 위험도 없을 거라며, 조심해야 할 것은 아무것도 없는데 단지 녹슨 못에 찔리면 파상풍을 입을 수 있으니 주의하라고 했다. 친구와 가까운 바닷가로 갔다. 겨울이지만 낮 시간이라 그다지 춥지는 않았다. 맨발을 처음 내디뎠을 때 딱딱하고 차가운 모래의 감촉이 발을 오그라들게 했다. 친구는 양말을 훌훌 벗어 작은 배낭에 집어넣고 사뿐사뿐 걸었다. 얼마 동안은 온 신경이 발바닥에만 가 있었다. 시리고 따갑고 아팠다. 그러다 시린 느낌이 사라지고 따갑고 아픈 것도 받아들이게 되었다. 한 시간쯤 걷고 신발을 신었을 때 신발이 이렇게 푹신한 것이었나 싶어 놀랐다. 참 편안하고 따뜻했다. 집에 돌아와 발을 씻으며 무수한 길을 걸을 수 있게 한 과묵한 발이 대견하게 느껴졌다.

집에 돌아오고 나서 맨발로 걸을 수 있는 곳을 찾았다. 멀리 갈 것도 없었다. 집 마당이 흙이니 그냥 걸으면 되었다. 하지만 마당에서는 오래 걸을 수 없었다. 금방 지루해지기 때문이다. 마당을 벗어난 산길은 다 시멘트로 포장되어 있다. 종종 오후 늦은 시간 운동장에 가서 걸었다. 해가 기울고 날이 어두워질 무렵까지 걷고 나면 발가락이 바알갛게 물들어 있지만 상쾌함이 온몸을 감쌌다.

봄이 오고 학기가 시작되고 나서 퇴근 후 곧장 근처 숲으로 갔다. 일주일에 사나흘 정도는 숲을 걸을 수 있었다. 신라 때 최치원이 조성한 우리나라에서 가장 오래된 인공림인 '상림'은 천연기념물로 지정되어 있으며 400여 수종이 2만 그루쯤 되는 '천년의 숲'이다. 숲 가운뎃길은 크고 울창한 나무들로 터널을 이루고 있어 햇살은 실눈을 뜨고 숲을 어루만진다. 연둣빛 싹을 내미는 조그만 손짓들이 그리워 미세먼지 예보에 민감해졌다. 조금이라도 대기 상태가 괜찮으면 숲으로 내달렸다. 맨발로 땅을 내디딜 때의 첫 느낌은 언제나 가벼운 해방감을 안겨준다. 부질없는 걱정들, 사소한 감정의 응어리들이 단숨에 풀려나간다. 숲과 흙이 전하는 숨결을 깊이 마시고 숲과 흙의 혀

속으로 들어가 그들의 작은 세포가 되어 본다. '아아, 좋다!'는 탄성이 깊은 곳에서 저절로 터져 나온다. 바람과 햇살이 숲을 간질이고 흙을 핥는다. 나도 그 속에 스며든다. 반원으로 휘돌아 가는 긴 강둑으로 분분히 날리는 벚꽃잎과 산뜻한 붉은 빛 철쭉의 행진은 길 끝이 보이지 않는 먼 곳까지 이어져 온몸을 달뜨게 한다. 오래된 이팝나무와 층층나무 꽃들이 거대한 흰 물결로 숲을 한바탕 흔들고 나자, 봄은 서서히 물러갔다.

여름 숲은 기세등등한 짙은 그늘에 따끈따끈한 열기를 품고 있다. 보랏빛 맥문동 꽃무리가 숲의 드센 숨결을 나지막이 쓰다듬는다. 숲 가운뎃길은 폭이 넓어 한적하게 느껴진다. 외지에서 온 관광객들은 숲의 초입이나 중반 정도까지 걷다가 돌아가므로, 두 사람이 겨우 걸을 수 있는 폭으로 갑자기 길이 좁아지다가 길이 끝나는 물레방아가 있는 곳에 가까워지면 거의 혼자 걷는 일이 많다. 비가 온 다음 날은 흙길의 자잘한 돌들이 물을 머금어서일까. 젖은 흙길의 시원한 감각과 부푼 돌들이 발바닥을 더 강하게 두드린다. 얕은 웅덩이가 생긴 곳을 맨발로 휘젓는 것도 재미있다. 어린 시절엔 비만 오면 가만히 있지 못하고 맨발로 참방참방 돌아다녔다. 동네 아이들이랑 흙과 물을 반죽하여 웅덩이를 채우고 누군가 빠지기를 기다리는 장난도 많이 쳤다. 여름철 지리산 종주를 매년 빼먹지 않았던 젊은 시절, 산에선 예외 없이 소나기를 불시에 만났고 등산화에 물이 가득 들어차 발가락으로 사이사이 물을 꼬물락꼬물락 어루만졌던 기억이 있다. 세찬 비가 지난 후의 숲은 부러진 가지와 떨어진 잎들이 또 다른 감각을 얹어준다. 나뭇가지는 쿡 찌르고 잎들은 보드랍게 감싼다. 맨발로 만나는 숲의 다양한 감각들. 퇴근 시간이 가까워지면 마음은 숲에 먼저 달려가고 있다.

새빨간 꽃무릇이 숲을 가득 메울 때는 꽃들이 터트리는 폭죽과 폭소에 마음을 온통 빼앗겼는데 불꽃놀이의 절정은 오래가지 않았다. 갈색으로 시든 잔해들과 뭉긋하게 전해지는 짓무른 풀 내음만 남은 숲에 뒤늦은 태풍이 두어 번 지나가자 가을이 성큼 다가왔다. 숲은 막무가내로 치닫던 성장과 경쟁을 멈추고 옆과 뒤에 선 나무들을 돌아보고 살랑 바람도 건네주며 몸놀림이 한결 부드러워졌다. 여름의 말쑥한 흙길에 낙엽이 군데군데 구르더니 이제 잎들이 겹쳐서 쌓이기 시작한다. 부서지고 마른 잎들과 도톰하고 반들반들한 잎들이 발바닥을 여리게 만지작댄다. 도토리 투둑 떨어지는 소리, 은행알 땅에 닿는 소리가 숲의 적막을 깨운다. 간혹 갈무리하러 다니는 다람쥐를 만나고 숲 안에 흐르는 자그마한 개울을 벗어난 청둥오리가 숲길을 뒤뚱대며 걷는 걸 본다. 어둠은 점점 빠르게 내려앉는다. 들어설 때 밝았던 숲은 한 바퀴 돌고 나오면 눈을 반쯤 감은 명상의 표정으로 바뀐다. 다시 한 바퀴를 돌고 나오면 침묵의 표정이다. 그때쯤 해선 사람들은 숲 가장자리를 빙 돌아서 걷는다. 숲 가운뎃길은 너무 어둡다. 숲은 더 깊이 침잠한다.

한 달만 더 있으면 숲길에서 흙을 밟기가 어려워질 것이다. 켜켜이 쌓인 낙엽을 밟으며 걷게 될 것이다. 하늘은 더 넓게 보일 것이고 바람은 날을 세우며 깨끗하고 싸한 숨을 뿜어 댈 것이다. 거기서 더 계절이 깊어지고 눈이 내릴 때 그때는 어떤 얼굴을 만나게 될까. 푹신하고 미끈한 낙엽 더미와 순백의 눈을 꾹꾹 밟으며 숲이 주는 무한한 감각을 끝없이 순례할 터이다.

맨발의 디바라 불리는 가수 이은미 씨는 노래할 때 옷이 스치는 바스락 소리도 신경이 쓰여 좀 더 자유롭게 노래에만 집중하려고 맨발로 서게 되었다고 한다. 노래 이외의 모든 것은 거추장스러울 뿐일 게다. 숲에 다다라 맨발이 될 때 나도 쓸데없이 걸치고 있던 어떤 것들로부터 자유로워지는 느낌을 받는다. 그토록 숲이 그립고 뛰어가게 만드는 것은 허식에서 벗어나고 싶은 깊은 열망 같은 것이 아닐까.

상림2

춘분의 숲

출근 시간은 일 분이 화급을 다툰다. 맨날 딱 오 분이 모자란다. 일어나는 시간과 관계없이 출발 시간은 언제나 오 분이 부족하니 참 신기한 일이다. 여섯 시에 일어나면 가벼운 스트레칭을 하고 아침밥을 준비한다. 도시락까지 싸고 준비를 끝내면 출근 시간에 대어가기에 아슬아슬하다. 시계를 흘끔거리면서 시간에 딱 맞춰 밥을 먹는다. 좀 늦다 싶으면 밥 양을 줄이고 빠르게 먹는다. 여유가 있다 싶으면 좀 더 꼭꼭 씹으며 천천히 먹는다. 그러니 집을 나서는 시간은 별 차이가 없게 된다. 삼십여 분이나 일찍 일어난 날은 오늘은 아주 느긋하게 출근할 수 있겠구나 싶지만, 결과는 마찬가지다. 그럴 때는 꼭 책을 한 꼭지 읽거나 유투브를 뒤적이며 늘어난 시간을 채운다. 교문을 통과할 때는 출근 시간인 30분에서 일이 분 전후를 찍는다. 그 나름의 규칙적인 리듬이 몸에 밴 것이라 할까.

낮이 조금씩 자라나고 날이 점점 따뜻해지면서 아침 숲이 그리워졌다. 작년엔 출근 전 삼십 분을 숲에서 보냈다. 섬세한

가지들이 하늘로 던진 촘촘한 그물에 묻어온 우주로부터의 전파, 나무들 몸을 훑고 내 몸까지 슬쩍 건드리는 장난스러운 바람. 숲 전체가 풍기는 초록 내음들을 기억한다. 맨발로 흙길을 걸을 때의 시원함과 자유로움, 찬물로 발을 씻어낼 때의 짜릿함과 상쾌함도 생생하다, 숲이 전해준 감각이 한꺼번에 솟구쳐 나를 흔들어 댔다. 숲이 부르는 소리가 심장에 소나기로 내렸다.

춘분. 밤의 자리에 푸른 씨앗이 움을 틔우며 살랑 숨결을 내뿜는 절기. 중동의 여러 나라들이 이날을 새해로 삼는다고 한다. 엎드려 있던 땅과 대기가 여린 손짓으로 변화를 불러들이는 시기, 몸도 춘분의 기운을 느끼는 걸까. 그날부터 서둘러 숲으로 갔다. 아침마다 일 분이 아쉬워 허덕대던 내게 출근 전 삼십 분을 숲에서 보내겠다는 마음이 일어난 것은 순전히 춘분의 힘이다. 일어나는 시간을 삼십 분 당겨 집을 나서기까지는 여전히 분초를 다투며 움직인다. 숲에 들어서는 순간 허겁지겁 헐레벌떡한 일상이 썰물처럼 물러나고 깊고 그윽한 품 안으로 시공간이 이동한다. 타임 슬립이란 이런 것이 아닐까. 숲의 대기는 조금씩 열기를 더하며 숱한 생명에 풋풋한 들숨과 날숨을 부지런히 펌프질할 것이다. 나도 숲에 스며들어 푸른 숨을 오르내리는 짐승이 되고 싶다. 온갖 자료와 책들, 컴퓨터로 어수선한 책상을 밀어내고 창으로 하늘만 들여보내는 아무것도 없는 깔끔한 방에 머물고 싶다.

신라시대 조성된 이 숲에는 120여 종에 이르는 나무들이 정감있게 서로를 그윽이 바라보거나 비껴가며 키를 돋우고 있다. 천 년이 넘은 숲은 서두르지 않고 느긋한 품새가 느껴진다. 긴 세월을 싸안고 우람하게 가지를 뻗치고 있는 나무부터 막 자리를 잡기 시작하는 나무까지 숲은 수북한 낙엽 더미에 자잘한 꽃과 풀들을 품고 있다. 어른 한 키 너비의 개울물은 발목을 적실 정도로 찰랑거린다. 비 온 후에는 제법 요란하게 숲을 가로질러 다정한 목소리가 쩌렁쩌렁해진다. 간혹 그 위에 목숨이 다한 나무가 쓰러져 외나무다리를 놓아주기도 한다. 다람쥐가 쪼르르 건너는 모습을 상상해 본다. 멧비둘기, 딱따구리, 박새, 곤줄박이를 만나기도 하고 개울에서 노니는 청둥오리를 맞이하기도 한다. 달음질치는 다람쥐는 흔히 보인다. 여름철엔 두꺼비와 뱀도 여러 차례 마주친다.

숲에는 세 갈래 길이 있다. 확 트인 마을과 논밭을 보며 숲을 끼고 걷는 길과 하천과 숲을 가로지르는 둑방길, 숲을 헤쳐 나가며 걷는 흙길. 아침에 내가 걷는 길은 울창한 나무들이 넓은 터널을 만들어 주는 흙길이다. 활엽수가 주종을 이루는 숲은 이제 막 물을 길어 올려 몸을 조금씩 부풀리며 아기 손톱보다 작은 싹들을 내밀락 말락 하고 있다. 햇살이 숲을 부드럽게 핥으며 상큼한 공기를 헤집는다. 쌀쌀함과 상쾌함을 동시에 품고 있는 아침 숲은 걸을수록 기운을 솟게 한다.

숲의 초입에 누각이 있고 중간에 두 개의 정자가 있다. 함화루는 조선시대 함양 읍성의 남문이었던 것을 옮겨온 것이라는데 팔작지붕을 날렵하게 인 풍채가 고아하고 품위 있다. 숲의 중앙에 있는 사운정은 신라 때 함양 지역 태수로 부임하여 치수 사업으로 인공림을 조성한 고운 최치원을 추모하는 뜻에서 조선 말기에 세운 것이다. 바로 옆에는 그의 업적을 기리는 비가 수수한 표정의 거북 위에 세워져 있다. 파평윤씨 종중에서 지은 화수정과 함께 정자에 올라 얼마든지 다리쉼도 하고 비를 그을 수도 있지만 언제든 맘 편히 드나들 수 있는 친구 집이 곁에 있는 것 같아 보는 것만으로도 든든하다.

숲에 난 길을 벗어난 숲속에 돌로 빚은 오래된 석불이 있다. 하반신은 유실되고 끼워 넣었던 두 손도 빠지고 없다. 코와 입도 뭉툭해진, 무던하고 덤덤해 보이는 불상 앞에 공손하게 두 손을 모으는 이들을 종종 보게 된다. 유난히 길고 두툼한 귀는 기도하는 이들의 염원을 새겨들을 것 같다. 부부가 나란히 고개 숙여 절을 하거나 중년의 남성이 오래 묵상하며 서 있거나 초로의 여인이 두 손을 비비며 허리를 숙이는 모습을 보면 얼른 눈을 돌려 소리 없이 빠르게 걷는다. 그들만의 고요와 경건의 시간에 나도 결계를 치고 싶어진다.

낮과 밤이 반반씩 자리를 잡고 지구를 돌리는 균형과 조화의 절기에 몸과 마음의 소리를 들으며 일상을 굴러가는 질박한 평화의 시간을 돌아본다. 그곳에 아침 숲이 있다.

경북 봉화 명암마을 흐르는 계곡에
구 만 정

옛 선비들은 현슬을 열어 청을 즐겼어도
지금 마음 물코트는 논밭에 홀린 맘
계곡에 씻고 우 막 한 잔에
저자에서 나누며
걸으힘는 여유를 남겨갑니다

2022. 9 경기

스텔라

없는 길을 찾아 나서다가
마음에 드는 풍경을 만나면 좋다를
세 번 외친다
그때 내 곁에 포근한 이들이 있으면 좋아요를
다섯 번 반복한다
다행히 길을 만나
또 다른 생의 의미를 만나면
좋습니다를 주문처럼 외운다.
그렇게 좋아하는 일을 하면서 산다

<사금산책>은

함양에 사는 사람들이 매월 마지막 금요일마다. 낯선 동네의 카페로, 이름이 널리 알려진 미술관으로 그리고 정겨운 풍경 속을 걸은 기록을 담았다.

이 글들을 그리움을 찾아 길 찾아 나섰지만, 빈손으로 돌아온 자들의 넋두리로 들어도 좋다. 아니면 생에 관한 질문에 오답을 반복한 자들의 자술서로 읽어도 상관없다.

그렇지만 그리움을 그저 멀리서 바라보기만 한 것이 아니라 찾으러 나간 일지라는 사실을 알아주었으면 좋겠다.

그리움이란 해 질 녘 머리 풀고 달려오는 바람 같은 것이 아니겠는가. 어둠이 길을 막아섰지만, 저 너머 어딘가 불 켜진 마을이 있음을 알고 발길을 재촉해 본 사람들은 안다. 머리 풀고 달려오는 바람은 막을 수 없다는 것을.

그렇구나! 막을 수 없다면 찾아 나서야지. '사금'을 찾아 '산책'하는 사람들의 마음가짐이다.

잘 늙은 오래된 걸 화암사, 극락전과 우화루에 앉겨
화면을 바라보다.

2022. 10
Park. JK

산청 예강으로

사금 산책 3

안녕 친구들
세 번째 카페 탐방 잘 다녀왔어.

서는 발걸음엔 늘 설레임이 가득하지. 비가 간간이 내리고, 선선한 바람이 부는 날은, 더욱 그래 신발을 바꿔 신고 나서 봐야지.

그 길에서 먼저 마주한 것은 강이었어. 엊그제까지 메말라 있었다는데, 오늘은 시원하게 물길을 만들어 흐르는 경호강이 우리를 환영하잖아.

"고맙다. 강아."

물론 마음으로 한 말이야

그리고 강을 내려다 볼 수 있는 카페 '예강'으로 내려갔지.
'예강'은 책방을 겸하고 있는 카페였어. 그런데 작은 책방의 북 리스트가 예사롭지 않은거야.

인생을 풍요하게 살려면 국영수 말고 음미체를 하라고 하지. 책방엔 철학과 음악과 미술이흘러 넘쳐, 책의 풍요로 배가 불러. 아직 차와 빵을 주문하지 않았는데도.

배가 부르니 먼저 우리가 나눈 이야기를 해야지.

어릴 때, 두꺼운 잡지 아무 곳이나 펴서 사람 많은 쪽이 이기는 게임.

군중이 나오면 환호하고, 나무들로 우거진 숲이 나오면 실망했다, 했던, 그 때의 기억 모두 가지고 있을 거야.

그래서 '어쩌면 별들이 너의 슬픔을 가져갈지도 몰라'라는 시집의 페이지를 들쳐서 읽는 게임을 하였지만, 환호할 일도 실망할 이유도 없어서. 모든 페이지가 시로 채워진 책이 시집이니 말이야. 그저 차분히 읽고 느낀 바를 말하면 되는 거야.

"그런 게 왜? 게임이지?"

"몰라. 그런데 게임이라고 하니 뭔가 진지해지지 않아."

"듣고 보니, 그럴 듯하네."

그렇게 '예강'에서 흐르는 강을 바라보며 게임을 했어. 마음에 든 시를 돌아가며 읽었다는 말이지.

그리고 세월이 가도 변하지 않는 것들?이란 게임도 했지. 그 질문에 내놓은 답은. 누가 누가 잘하나가 아니니 편하게들 답변했지.

"울 아부지 성격, 구름, 새의 날개짓, 기와, 오래된 관계."

말꼬리를 누군가 잡아서 '관계'에 대해 구체적이고 아름다운 경험담을 나누자고 제안했지.
그런데 말하고 듣고 나서도 어려운 것이 관계를 맺는다는 말이었어. 실천이 따르고 상대에 따라 달라지고 사람과 사물과 자연과 심지어 자신의 운명과 어떻게 관계 맺음을 할 것인가? 풀 수 없었지. 어쩔 수 없이 다음 숙제로 넘겼지.

그런데 이런 단도직입적 질문에는 모두들 열을 내어 답했어.

"살 수 있는 날이 하루만 남았다면?"

　"가족과 함께 할 것이고, 사랑하는 사람의 목소리를 듣기위
해 전화를 할 것이고, 무심한 일상을 변함없이 살 것이고, 강가
에서 부처를 그릴 것이고 시골 간이역에서 기차를 기다릴 것입
니다."

　"기다릴 것입니다."

　"기다릴 것입니다."로 세 번째 카페 탐방을 마쳤어.

광주 박물관, 비, 김호석

사금 산책 6

비 오는 날 찾았지. 아무나 누릴 수 없는. 비 오는 날의 미술관을.

6월 사금 산책 후기는 강천산 휴게소에서 마신 커피 향기와 함께 올릴 수밖에. 광주, 먼 길이라 일찍 떠난 탓에 모두들 처음 도착한 휴게소에서 빵과 따뜻한 음료를 먹었다. 좋은 그림 구경도 배가 든든해야 잘 보이는 법이라.

처음 온 광주 시립미술관은 비엔날레관과 박물관 등이 함께 있어서 규모가 크다. 어디서부터 봐야 할까. 그러나 우린 서두르지 않았다. 빗줄기 선선히 나부껴, 걷기에 딱 좋은 날, 천천히 천천히 걸어야지. 숨 크게 마시고 오래 내쉬면서.

느릿느릿 전시장에 들어섰다. 일상 그리기 지도 선생님께 전시를 소개받은 후 김호석 화백에 대해 알아보기를 잘했군. 덕분에 그림이 마음 깊은 곳에서 동종 소리의 울림을 받았지. 은

은하게 그러나 묵직하게.

그림만 좋으면 될 텐데 제목들은 왜 저리 깊은 울림을 주는 거야. 사급 산책 목적지를 정한 뒤 설렘이 가득했는데 감동으로 울컥! 눈물까지 쏟을 뻔.

그림들은 한지의 느낌을 그대로 전달받을 수 있도록 유리를 끼우지 않았어. 또 빛고을 광주의 역사를 그려서인지 빼곡한 인

물 한 사람 한 사람이 모두 사실적으로 표현되어 있어서 놀라웠던 '죽음을 넘어 민주의 바다로'는 오래 기억될 거야. 5.18 광주가 지금도 내게 진행형으로 남아 있는 것처럼.

4.3 관련 그림들도 옆 전시장에서 열리고 있어서 처음으로 산책에 참여한 젊은 친구에게 미안했지. 아픈 역사에 대한 책무가 있는 어른으로서 말이야. 일부러 외면하고 싶었지만 진실은 알아야지 하면서도 자꾸 그 상처로 인해 명치끝이 꾹꾹 아파져서 고개를 돌리고 싶기도 하지만.

무거워지는 마음처럼 빗줄기가 점점 굵어져.

기분 전환이 필요해.
밥 먹으러 갑시다!!

생맥주 한잔과 지치지 않는 수다. 초밥집에 온 산골 사람들 음식을 먹는 내내 쫑알쫑알 빗소리만큼 소란스럽게 점심을 하고는 식당에 한마디를 남겼지.

눈 호강과 입 호강을 동시에 할 수 있는 광주! 사랑해요.

그리고 도심 속 사찰 무각사로.
무각사에도 비엔날레 작품들이 전시 중. 발 가는 곳마다, 눈 닿는 곳마다 예술작품이 넘쳐서 흐르고 비는 멈추지 않고.
우리는 자리를 옮겨 초록초록 댓잎이 낭창낭창 창을 때리는 시원하고 조용한 공간으로 모였지.
생생했던 그림 감상의 여운을 '함께' 지닌 이들끼리 나누는 편안함을 오후의 나른함처럼 느낄 때 누군가 말했지.

"이제 미술 시간이 끝나고, 국어 시간이 돌아왔습니다."

국어 시간에는 반드시 읽기 쓰기 말하기 듣기가 있지 서로 느낀 감흥들을 주고받고 그것들을 글로도 정리하면서 사이사이에 추임새를 넣었지.

"지금 시간이 바로 사금 산책의 진짜 맛이죠"

그리고 비를 맞아 미끄러운 반석을 디디며 조심스레 걸으면서 뒤를 돌아보았어. 무각사의 작은 정원, 이쁜 연못, 멋있는 배롱나무 가지, 함께한 사람들의 뒷모습.

" 아름답구나" 새삼 느끼면서.

이들과 함께 동시대를 산다는 사실이 좋았고 좋은 화가가 우리 곁에 있다는 사실에도 고마움을 느꼈지. 비 오시는 유월의 '사금 산책' 길 위에서.

담양, 관방제림 그리고 이스크라

사금 산책 9

세상에
꽃이 참 많은데
마음에는
꽃이 드물어서
한송이만
피어도 반가우니
부끄럽다.
'단순한 것들을 기리는 노래'

- 김키미 판화 엽서 에서

엽서의 글이 가슴에 머물다 간 자리에 마음의 꽃 한송이 피었습니다. 유월의 사금 산책을 마무리하러.
담양에 갔습니다.

처음 가 본 고장도 아닌데, 모든 곳이 다 처음인 듯했습니다. 그래서 설레임으로 부풀어 이곳저곳을 다녔습니다. 푸조나무 가지에 매달린 잎들이 유월의 햇살과 바람을 안고 살랑살랑 움직이듯이 우리의 몸과 마음이 그러했습니다.

둑길을 양산 쓰고 사뿐사뿐, 이야기는 도란도란, 얌전한 웃음꽃도 날리며 걸었지요. 새로운 친구인 푸조나무가 제방 끝까지

함께 와서 그늘을 만들어 주었고요.

그러나 그저 '걷기'만 하기에는 여름의 초입은 더웠습니다. 잠시 지친 다리를 쉬면서 푸조나무를 식물도감에서 찾아 보고 푸조나무를 소재로 한 시가 있을까 살피기도 했습니다.

잎 하나 피우는 내 등뒤로
한 번은 당신 샛별로 오고
한 번은 당신 소나기로 오고
그때마다 가시는 길 바라보느라
이렇게 많은 가지를 뻗었답니다
  - **최영철의 시 '잎' -푸조나무 아래에서 부분**

최영철 시인의 시를 읽다가 문득 너무 많은 말을 하면서 살았구나. 그렇게 자신의 내면은 살피지 못한 우리를 보았습니다.

일제히 '침묵의 시간'을 가지기로 했습니다. 말들에서 놓여나기. 내면으로 침잠하기.

이십 분이 지났을까. 힘드네요. 말을 않고 침묵 속으로 빠져드는 일. 누군가 그 침묵이 너무 무거웠는지.

배고파요.

밥 먹으러 가요.

좋아라, 하면서 모두 두리번거리며 식당을 찾았습니다. 침묵 명상도 배고픔을 이기지 못하나 봅니다.

강변 따라 조성된 국수 거리에서 시원한 판모밀 한 판에 만두도 한 게씩 먹었습니다. 파전에도 눈길이 갔지만 다음 일정이 기다리고 있으니, 애써 외면하고 찻집으로 향했습니다.

　이스크라 카페. 그 이름만으로 가슴이 뛰는 카페라 꼭 보고 싶던 곳입니다. 담양에 온 이유가 이곳에 오려고 한 것은 아니었는지.

　은은한 분위기의 카페에 들어서면서 메뉴판을 먼저 찾았습니다. 어떤 음료들이 있을까. 아메리카노 대신 블랙커피, 오래된 숲, 도토리 숲, 달리는 기차 위에 중립은 없다.

　메뉴판을 두세 번씩 읽다니.

　우선 짜이를 시켜봅니다. 우와, 혀에 닿는 맛이, 목넘김이 예사롭지 않네요. 다음에 와도 차이를 마셔야지, 하고 마음 먹었습니다.

그리고 주인장이 나긋나긋 차와 과자에 관해 설명할 때 부드럽게 속삭이는 듯한 그 목소리에 우리는 이미 이스크라의 단골이 되기로 마음을 굳혔습니다.

그리고 격동의 혁명기를 살았던 인물들의 사진을 보며 '걷는다는 것'에 대해, 여행의 기억과 명상의 체험을 이야기했고, 주제에서 멀리 나가 창조론과 진화론을 주제로 대화 아닌 다툼도 벌였습니다. 다양한 소재에 개인 개인의 풍부한 경험담이 더해져서 재미있고 유익한 시간이었습니다.

그러나 함양 사람이 담양에서 살 수는 없는 일 돌아갈 시간을 재어 보며 오늘 여행의 주제 '걷는다는 것'에 대해 각자 요약했습니다.

걷는다는 것은?

꿈을 꾸는 행위이고, 비우는 것이며, 화해이고, 어제의 기억과 내일의 바람을 이어주는 다리이며, 하루의 시작이며 끝이고, 삭히는 것이며, 내 못남을 깨닫고 성찰하는 기회이다.

걷는다는 의미가 진짜 대단하네요.

이스크라 아랫층 키미님의 책방도 들렀습니다. 들어서면서 이곳은 평화를 갈망하는 마음으로 충만한 공간임을 느꼈습니다.

사랑이 이기고
평화가 남아야
부끄럽지 않을 텐데

– 김 키지 판화 엽서에서

함양으로 오면서 오늘을 돌아보았습니다.

오늘은,
걸어서 밥 먹으러 가고,
걸어서 차 마시러 가고,
걸어서 동네를 여기저기 기웃거린 날이구나.

그리고, 일상의 삶 속에서도, 이쪽에서 저쪽으로 성큼성큼 망설임 없이 걸어가야겠다.

그렇네요. 오늘 우리는 저쪽에서 이쪽으로 왔을 때와는 다른 '걸음'으로 이쪽에서 저쪽으로 걸어갑니다. 뚜벅뚜벅.

최갑진

이것저것 한다.
거침없이 한다.
오늘은 밭갈이를 한다.
또 오늘은 술 한잔을 한다.
늘 오늘이다.

내가 쓴 그의 자화상 1

상림 달밤에 꿈꾼다

함양살이를 한 이후 달밤이면 간혹 상림을 걷는다. 공중에서 떠돌던 푸른 안개는 달이 뜬 얼마 후 사라지고 나뭇잎에 내려앉았던 달빛은 어둠 속에 숨죽인 오솔길을 드러낸다. 그때쯤이면 아직 둥지를 찾지 못한 새 몇 마리가 서둘러 돌아가기 위해 날개를 퍼덕이며 귀밑을 스치듯 날아간다. 마음이 바쁜 모양이다.

바쁜 것 없어서 길가 의자에 앉아 숲을 휘돌아 흐르는 위천의 물소리를 듣거나 걸음을 천천히, 하아나, 두우울 세면서 걷는다. 그럴 때면 어김없이 지나간 날들이 순서도 없이 눈앞을 스친다. 어떤 날은 기억의 장면들이 사라질까 억지로 붙잡아 보기도 하지만 대부분 머리를 흔들어 떨쳐 버린다. 추억은 달콤하다고 한다. 하지만 달콤하게 포장하여 되새김하고 싶은 기억보다는 삭이지 못한 쓰린 감정이 일어나는 일들이 많았던 모양이다.

그래서 추억에 촉촉이 젖기보다는 지난날을 떠올렸다 지웠다를 반복한다. 습기에 젖은 머리칼을 손빗으로 빗을 때 손가락

사이로 물기가 미끄러지는 듯한 느낌이 들 때까지 과거로 내달리다 현재로 돌아서는 거추장스러운 놀이를 한다. 그래도 좋다. 늦은 밤일수록 더욱 밝아지는 달님 말고는 요렇게 노는 내 모양을 보는 이가 없으니.

요즈음은 그 놀이를 다르게 만들었다. 달려왔다 어느새 사라진 장면들, 그 장면 중 하나를 정해서 그림으로 붙박아 놓기. 과거를 사진으로 다시 찍을 수 있다면 좋겠지만 그건 나중 일이고 우선은 머릿속에 붙잡아 두고 그것을 그림으로 그린다. 멋진 생각이다.

바로 그림 도구를 사고 그림을 그리기 위한 기초적인 기술을 습득하기 위해서 유튜브를 들락거렸다. 그러나 열일곱 색깔 물감은 한 달이 지났지만, 포장지를 뜯지 않았고 빗금 한 줄, 동그라미 하나 그려진 적 없는 스케치북은 책상 위에서 눈만 멀뚱거리고 있다. 그리기 전에 무엇을 그릴 것인가를 분명하게 결정하지 못한 탓이다. 당연히 상림 산책하러 나가는 일이 잦아졌다. 지난날 중에서 무엇을 그릴 것인가. 오늘의 삶을 만들어 준 결정적인 과거의 일 혹은 사람을 찾아야지. 발걸음도 마음도 분주해졌다.

수줍던 연애를 그릴까. 풋풋함으로 가득하였던, 그 시절을 그릴까. 그러면 어느새 연둣빛 수줍음 사이로 최루가스가 피어오르고 아스팔트 위를 내달리던 발소리가 들려온다. 어두운 시대에 연애는 무슨, 종잡을 수 없이 혼란스러웠던 그 시절의 기억은 매캐한 사과탄의 냄새만 남기고 사라진다. 무채색으로 가득했던 어린 시절을 그릴까. 비좁은 집, 엄마의 둥근 어깨, 밤새 딸그락거리던 부엌의 소리, 촉 낮은 전등과 낡은 벽지. 아버지의 뜻을 알 수 없는 고함 그리고 헛기침, 달려가도 멀기만 했던 학교 가는 길, 새 옷 입고 우쭐했던 순간들. 그러나 그 시절을 돌아보는 일은 미뤄두기로 했잖아. 아직 정리가 안 된 탓에. 그러면 바쁘게 돌아가는 직장의 일상, 가족들과 따뜻한 정을 나누던 어느 봄날의 나들이, 모처럼 만난 벗과의 여행을 그릴까. 그런데 그런 기억 중 하나를 선택한다면 다른 기억들이 섭섭해할 거야. 모든 과거가 모여 오늘의 내 몸과 마음을 만들었으니. 선택은 쉽지 않았다.

달빛 아래 상림을 찾는 일이 잦을수록 과거의 기억들은 순서도 없이 왔다가 사라졌다. 사건들이 뒤죽박죽 엇갈리기도 했다. 그래서 그냥 걷는 일에만 집중하기로 했다. 신발을 벗고 걸으면서 발바닥의 따끔거리는 아픔을 걷는 맛으로 여기기도 하고 산책객들이 사라진 어둑한 숲길에서 무서움을 느낄 때면 가만히 서서 느리고 긴 호흡을 하였다. 그럴 때면 투명한 숲의 공기가 가슴 깊숙이 들어와 마음을 안정시켜 주었다. 걷는 일에 몰두하자 달빛 속에 감싸여 상림의 숲에 폭 안겨들 수 있었다. 달밤 상림을 걷는 일이.

그러던 어느 날이었다. 과거 속에서 현재를 지켜나가게 한

의미 있는 그림을 찾는 일은 다름 아니라 미래를 힘차게 열 수 있는 그림을 찾는 것임을 알았다. 달빛이 사라진 어두운 밤, 숲에서 나와 번잡한 거리에 나설 때면 몰려오는 소음들, 간혹 함양을 떠나 있을 때면 느껴지는 막막한 그것들을 이길 과거의 혹은 현재의 기억이 필요함을.

다시 뒤졌다. 어제의 추억들을. 내일을 새롭게 열 지나간 추억들을. 그 추억이 있어서 내일의 삶을 풍성하게 이끌어 줄 추억. 뭐가 있을까. 새로운 꿈으로 자리를 잡을 추억이 과거의 기억 저장고에 아니면 현재의 생활 속에 있기나 할까.

찾아가는 방향이 달라지자 상림을 찾는 발걸음도 변했다. 아마 이웃집의 누가 봤으면 이렇게 수군거렸을 것이다. 저기 누구네 엄마를 봐. 집 주변에서 보면 신발 끄는 소리가 온 골목길을 울렸는데 상림에서는 구름 위를 걷는 듯하네. 발소리도 없이 저렇게 사뿐사뿐 걸을 수 있을까. 온종일 얼굴을 맞대고 있는 직장 동료는 뭐라 했을까. 저 언니 걸으면서 꿈꾸는 모양이야. 낮에 업무 시간의 악착같음과는 전혀 다른 얼굴, 저 몽롱한 표정을 봐.

그리고 가장 정확하게 나를 안다고 자부하는 벗은 이렇게 이야기했다. 너를 처음 보는 것 같아서. 연못가의 사운정 지나면서 너를 보았거든, 아는 체를 했지. 그런데 넌 나를 스쳐 지나갔어. 야, 소리쳐서 부를까, 했지만 참았지. 네 얼굴 가득 피어나고 있는 행복감을 깨뜨리고 싶지 않았거든. 그러니 말해 소문내지 않을게. 애인 생각했어.

친구가 놀리듯이 웃는 웃음소리를 들으면서 그때 무슨 생각을 하면서 걸었을까. 궁금해하다가 아! 하며 나도 모르게 친구의 팔을 꼬집었다. 그래 애인 생각했어! 아주 오래되어 기억에서도 미뤄두었던 애인. 몇 줄 안 되는 대사도 더듬거리고, 관객을 마주 보기 두려워 돌아서서 연기를 하던 풋내기 배우. 그녀가. 오랫동안 감춰두었던 스물 몇 살, 삶을 대하는 방법이 어설펐지만 진지했던 시절. 내일에 대한 두려움보다는 오늘을 자신 있게 살자고 마음먹은 청춘의 한때. 과거에 대한 반성과 후회보다는 지금 하는 일들에 진지했던 날들. 그 세월을 살았던 추억 속의 나.

너무 세게 꼬집어 정신이 나갔을까. 아니면 평소답지 않게 말이 많아서 이상하게 보였나. 친구는 팔을 쓰다듬으며 불쌍한 듯, 부러운 듯 나를 바라보며 아무 말도 하지 않고 서 있었다.

그 날 이후 상림 산책, 달밤의 사색 말고도, 해야 할 일이 늘었다. 배우가 무대 아래 관객의 시선에서 벗어나 주어진 역할을 소화할 때 새로운 성격을 지닌 인물로 탄생하듯이 생활이 주는 관계망 속에서 능동적 주인공으로 삶을 주도하는 김성순이 되기로. 이런 결심으로 글쓰기를 시작했지.

그래서 언젠가 나의 삶을 대본으로 써서 일인극을 하는 거야. 상림에서. 달밤이면 더 좋겠지.

내가 쓴 그의 자화상 2

바쁨 그 이후 다가온 기쁨

바쁨은 나의 몫. 그냥저냥 바쁘기만 하였다. 돌아보면 투명한 가을 하늘을 쳐다본 적도 없었고, 봄날 들풀들에게 길을 물은 기억도 없다. 그럴 이유가 없었다. 계절은 그냥 달력에 인쇄된 사진으로 알 수 있었고 집안 행사를 표시한 달력의 동그라미가 계절을 일깨워 주기도 했으니. 누가 태어난 때가 여름이었고 누가 결혼한 것이 겨울이었다고. 그렇게 계절은 흘러갔다. 봄 여름 가을 겨울이.

간혹 휴가를 틈타 긴 외국 나들이를 하고 돌아와 공항버스를 기다리며 딸아이와 '어머, 벌써 가을이 왔네. 서울은'하고 놀라는 체하며 가로수 잎들을 바라보기는 했지만. 계절은 없었다. 도시에서는. 그저 두툼한 옷과 가벼운 옷차림 그 사이에서만 계절의 변화를 느꼈던 것 같다.

계절의 변화를 느끼지 못했으니 당연히 시간의 흐름도 몰랐다. 칸막이 저편에서 카드를 내밀면 서고로 들어가 책을 찾아 칸막이 저편으로 내밀었다. 웃거나 안경을 쓸어 올리며 상대를 보는 척은 했지만 기억에 남은 얼굴은 없다. 마찬가지로 손으로 만지고 눈으로 찾았던 문학 예술 공학 사회과학 서적들, 지금 그중 한 권의 제목도 떠올리지 못한다.

그런 시절의 시간을 흐른다고 말해야 하나. 멈추었다고 불러야 하나. 아니면 웅덩이에 고여 썩어 갔다고 하는 것이 정직할까.

그러는 중에도 아이들은 잘 자랐고 남편은 건강했다. 겉으로 보기에는 '좋은'을 갖다 붙여도 좋을 '좋은' 엄마 아내 직장인이었다. 나는.

그러다 장마가 끝날 무렵의 여름날 오후였다. 무지개를 본 것 같다. 아니면 졸다 일어난 뒤의 착시였을까. 환한 유리창 밖과 형광 불빛으로 흐릿한 사무실 사이 창틀에 걸린 빨주노초파남보를 보았고 그 끝을 잡기 위하여 몸을 일으켰다. 그러다 뒤뚱거리며 의자를 밀쳤고 소리에 놀란 동료들은 의아한 눈빛으로 나를 힐금거렸다. 잠시 머리를 짚은 뒤.

탕!

나는 서류 뭉치를 아무렇게나 책상에 던져 버렸다. 떠나자. 사무실을 버리고 도시를 떠나자.

그러나 손끝에도 걸리지 않은 무지개를 찾아 떠나는 일은 똑같은 일상을 십 년을 더 반복해야 하는 것보다 힘들었다. 그때부터 둥둥 떠 있는 느낌으로 출근부에 도장을 찍고 밥을 하고 영화를 보고 음악을 들었다. 둥둥 떠 있는 느낌으로 살고 있으면 가까운 이는 느낄 것이다. 이 사람이 허둥거리고 있구나, 하고. 그리고 그 느낌은 전염될 것이다.

감염된 남편은 현명하게 계절의 흐름을 느끼고 싶어서, 둥둥 혹은 허둥대는 내 손을 잡아 주었다. 서둘러 이삿짐을 싣고 가보지 않은 곳에서 새로운 삶터를 만들자고 차를 몰았다.

함양 살이의 시작이었다. 낯선 곳이라 사람과 자연이 모두 익숙하지 않았다. 그러나 새로웠다.

위천의 둑길을 걸을 때 바람이 불면 머리카락이 나부끼는구나, 늘 함양에서 알았다고 하면 지나친 과장일까. 그러면 땅에 씨앗을 뿌리고 물을 주면 상추가 자라고 고구마가 큰다는 사실을 발견하고 기뻐했다는 말도 할 수 없는 것일까. 아니다. 사실은 느낀 그대로 말해야 한다. 자연의 평범한 이치도 몰랐으니 함양 살이의 모든 일들이 놀랍고 새로웠다는 표현은 정직하다.

더욱 정직하게 말하면, 세 평 남짓한 작은 빵집의 치아바타도 새롭고 여덟 시가 되기 전에 후딱 마시는 막걸리 맛도 새롭다. 얼굴이 채 익지 않은 이들이 짧은 여행을 가서 함께 그림을 볼 때도 새로움은 가슴을 차고 올랐다.

낯선 시간 속을 걸어라. 낯선 공간에 닻을 내려라. 누구의 이야기도 아니다. 나의 말이다. 계절의 변화를 몸으로 느낄 때 당신은 행복을 느낄 것이다. 역시 나의 깨달음이다.

그러니 믿으라고, 위의 문장을 전할 때가 있다. 회색의 공간 속에서 어제의 시간으로 오늘을 살면서도 내일도 그럴 것임을 굳이 외면하는 도시의 친구들에게.

그러나 그런 전언을 받은 친구들의 소식은 갈수록 뜸해진다. 다른 한편으로 함양이, 지리산이 주는 새로운 이야기는 나날이 쌓여 간다. 벅차서 크게 호흡하지 않으면 다 품지 못할 정도로 풍성하게.

그래서 오늘도 함양의 골목을 걸으며 오래된 담벼락을 만지고 상림을 걸으며 지리산을 바라본다. 하나의 행위마다 한 눈길마다 새로움이 밀려온다.

그래서 가만히 속삭인다. 계절의 어여쁨을 느끼게 하는 함양의 바람 구름 물 그리고 사람들, 순애야, 좋지.

내가 쓴 그의 자화상 3

덕하 지나서 함양으로

밥 퍼주는 사람, 멋지다. 나의 장래 희망을 보관하는 목록 주머니에 넣기로 한다.전에는 국외 여행이었다. 환경론자도 아닌데 비행기 탈 기회가 없었다. 누구는 기회는 만드는 것이라고. 그건 그야말로 속이 편한 당신의 이야기이고.

보살필 자식 넷, 그래 다른 일로 복잡한 우리 집안 사정이야 말할 필요가 없으니, 아이 넷을 둔 엄마의 처지에서는 외국 나갈 기회를 잡는 일이란 '새끼를 포기하는 어미'가 되란 말과 다름없다. 모두 학교에 다니기 시작한 지금에서야 미래 계획을 머릿속에서나마 그려보지, 이전 생활은 뻔하지 않았겠나.

아침부터 저녁까지 밤부터 새벽까지 뱅글뱅글, 밥하고 빨래하고 청소하고 옷 챙기고 다투는 것 말리고 예방주사 맞히고 다시 빨래하고 밥하고. 그래서 남들 다 먹었다는 기내식 한 번 먹지 못하고 살았다. 그러니 미래 희망 일등, 해외여행일 수밖에. 이등, 미술관 순례하기. 삼등, 복잡한 거리 한 가운데서 거리공연을 하기다.

그런데 최근 그 모든 희망을 물리치고 밥 퍼주는 여자가 일 순위가 되었다. 사연?

아이들이 저마다 책가방 챙길 줄 알고 배고프면 라면 끓여 먹을 수 있는 요즈음 좀 더 구체적으로 미래를 계획하기 시작했다. 그러자 지난 어제가 먼저 떠올랐고 지나치는 오늘이 보였다.

나의 어제는 울산 부근 덕하라는 곳을 빼고는 말할 수 없다. 공단이 들어서면서 땅을 팔아 졸부가 된 사람들과 땅을 못 팔아 배가 아픈 사람들로 마을은 나뉘어졌다. 당연히 우리 집은 후자였고 가난은 대물림되었다. 가난으로 배 아픈 어른들은 배고픈 아이들에게 화풀이하였다. 자식이 미워서 그렇게 화풀이하였겠느냐고. 맞다. 미웠을 것이다. 한 뼘 차이로 땅이 팔리지 않았으니, 세상이 미웠을 것이고 세상이 미운 데 자식들이 고울 리야.

덕하에서 살았지, 울산 변두리
돌아보고 싶지 않아
책장에도 책갈피에서도 사라진 추억
덕하의 그날들

모두가 피하는 외상 심부름
가게 문 열고 들어설 때마다
문턱에 걸려 넘어졌으면
구차하게 손 내밀지 않아도 좋을 텐데

그러나 술 취한 아비의 매질

가슴에 팔다리에 붉은 생채기로 아직도 남은 매질보다는

쯧쯧 혀를 차며 라면이나 비누

또 있었지 소줏병 내밀던

아주머니 차가운 눈길 훨씬 덜 아파서

넘어지지 못하고

고개 떨구던 열 살짜리 아이

그 시절은 추억 아니지

머리 흔들고 싶은 검은 기억이지

지금은 아버지의 화풀이를 고스란히 받아내었던 내 유년을 쓰다듬지만, 어린 시절의 상처는 오래도록 아팠다. 아픔을 혼자서만 껴안고 가족들에게는 감추면서 살았다. 그렇게 하는 것이 아내로서 며느리로서의 엄마로 사는 삶의 자세로 알았기 때문이다. 잘못이었다. 아프면 가족에게 먼저 하소연했어야지. 그땐 몰랐다.

그저 상림을 찾았다. 가슴에 묻은 아픔을 풀어 줄 상림을.

거미줄에 영롱하게 빛나는 빗방울에 취해 비 오는 상림을 걸었고, 나무 둥치를 쪼아대는 딱따구리 소리에 맞춰 아침 숲을 걸었다. 햇볕이 따가워 남들이 그림자를 찾을 때는 오히려 도도하게 상림 가운데로 난 찻길 옆 보도를 긴 치마 팔랑거리며 태양을 쏘아보며 걸었다. 걷고 걸었다.

아픔의 깊이는 걷는 시간의 길이에 의해서 메워지는 모양이다. 이곳 함양에서 알았다.

평화로움은 이렇게 불현듯 찾아오는 것일까
책에 밑줄을 그으며
물감으로 여백을 칠하면서
새로운 삶의 설렘을 느꼈지
상림을 걸을 때는 설렘이 무등을 태워주어 어지럽기도 했지
그러나 몸에 배인 두려움의 그네는 멈추지 않아서
더욱 멀리 달려갔지
손끝에 만져지는 기타의 음표들의 위안 속에 숨으려고
손끝의 감각이 사라질 때까지
달아났지

덕하에서의 상처는 함양에서 조금씩 치유되었고 마음의 평정을 지녀야만 가능한 곡들을 기타로 연주하였다. 그러면서 내일의 삶을 더욱 구체적으로 그려보려고 했다. 그때 언뜻 떠오른 그림이 밥 퍼주는 모습이었다.

가마솥에는 대파를 가득 넣은 소고깃국이 끓고 있고 아침에 마련한 버무린 겉절이와 깻잎장아찌가 놓인 네모난 상 위에 하얀 밥을 고봉으로 얹은 밥그릇을 놓는 나. 식탁에 개의 식당에

는 노동에 지친 사람들이 부엌을 기웃거리고. '소고기국밥 천원, 소주 큰 잔에 천원'이 적힌 차림표가 칠 벗겨진 바람벽에 부적처럼 붙어 있는 식당에서 이리저리 분주한 나.

그러고 보니 실현할 수 있는 내일을 꿈꾸는 사람들이 몇이나 될까. 궁금해진다. 나는 실현할 수 있을까. 가만히 눈을 감는다. 요가 선생님의 싱잉볼 소리가 들린다. 그 파장 속에서 무한의 에너지를 느낀다. 상림 숲에서, 기타의 선율 속에서 느꼈던 그 에너지에 몸을 맡기면 무엇이 어려울까. 그래 힘내 주원아.

오래 외면했던 덕하의 유년이 다가와 쉰 고개를 넘는 등을 밀어준다. 고맙다. 덕하가. 함양이.

지리산 너머 해 질 무렵이나
경호강 물결 잦아들 때마다
마주하는 심장 소리
어린 발목 잡고 말하지
덕하에서 함양에서
마셨던 물 받았던 햇볕까지
오로지 오늘의 너라고 말하지
그 이후
작은 의자에 앉은 나를 바라보면
괜찮다 괜찮다는 소리 들리고

어디선가 문턱을 넘지 못하는
두려움에 사로잡혀 설렘을 마중할 줄도 모르는
열 살짜리 소녀를
안아줄 수 있는 키 큰 내가 보이지

덕하 함양을 지나온 내가.

너의 이야기는 우리의 노래가 되고

지은이 함양, 함양을 말하다

발 행 2023년 11월 30일
펴낸이 한건희
펴낸곳 주식회사 부크크
출판사등록 2014.07.15.(제2014-16호)
주 소 서울특별시 금천구 가산디지털1로 119 SK트윈타워 A동 305호
전 화 1670-8316
이메일 info@bookk.co.kr

ISBN 979-11-410-5637-7

www.bookk.co.kr
ⓒ 너의 이야기는 우리의 노래가 되고
본 책은 저작자의 지적 재산으로서 무단 전재와 복제를 금합니다.

본 도서는 2023년 함양군 시군 역량강화사업의 지원을 받아 제작되었습니다.